ジュディス・バトラー
Judith Butler

この世界はどんな世界か？

WHAT WORLD IS THIS?

パンデミックの現象学

A Pandemic Phenomenology

中山 徹 訳

青土社

目次

凡例

・本書はJudith Butler, *What World Is This?: A Pandemic Phenomenology* (New York: Columbia University Press, 2022) の全訳である。
・傍点は原文でイタリック体によって強調されている箇所を表す。
・〔 〕は訳者による補足を表す。原語を表記する際にもこれを使用した。
・〈 〉は原文で語頭が大文字になっている語句を表す。
・……は原文における…（引用文中の中略）を表す。
・原文における（ ）と［ ］はそのまま再現した。
・引用文の訳出に際し既訳を参照したところもあるが、訳文には文脈を考慮して変更が加えられている場合がある。
・人名索引は青土社が作成した。

この世界はどんな世界か？

——パンデミックの現象学

謝辞

二〇二〇年の晩秋にこの仕事のもとになった連続講義の講師として私を招いてくれた、カタルーニャのジローナ大学フェラテール・モラ現代思想講座のジョアン・バルジェス・ジフラ〔Joan Vergés Gifra〕にこころから感謝する。この仕事に批判的にかつ創意に富むかたちでかかわってくれたベゴーニャ・サエス・タジャフェルセ〔Begonya Saez Tajafuerce〕、フィナ・ビルレス〔Fina Birulés〕、デニス・ライリー〔Denise Riley〕、ハワード・ケイギル〔Howard Caygill〕にはとくに感謝している。また、パンデミックの初期にオンラインで聴衆とともにこの問題について考えるように勧めてくれた〈欧州大学院〉〔the European Graduate School〕をはじめ、非常に有益なコメントをしてくれたジャレット・ジゴン〔Jarrett Zigon〕、ジェイソン・スループ〔Jason Throop〕、「チーム現象学」にも謝意を表したい。そして、コロンビア大学出版のスタッフ、とくにこのプロジェクトに尽力してくれたウェンディ・ロホナー〔Wendy Lochner〕と〈ワイリー代理店〉〔the Wylie Agency〕にも感謝している。

序論

いまこのときが世界の最後の夜だとしたら？　——ジョン・ダン

われわれはみな、最近までどこで生活していたかに関係なく、COVID-19〔新型コロナウィルス〕のパンデミックがもたらした一連の新たな状況のもとで生きている。パンデミックは広範にわたる社会および生態系の状況と切り離せないので万人の生活にとって単一の状況を生み出すと、私はいっているのではない。けれども、現在のパンデミックによって、ウクライナへの軍事侵攻をふくむそうした広範な諸状況は、新たなかたちで関連しあっている。たとえば、国境付近に集められ、避難所や輸送機関に詰め込まれる群衆を考えてみよう。仮にパンデミックが完全に消え去ったら、そうした強いられた身体の近接は違った印象をあたえるだろう。そうした広範にわたる状況の例としては、そのほかに環境破壊、貧困、人種差別、グローバルな不平等、女性とＬＧＢＴＱＩ＊に対する暴力をふくむ社会的暴力などがある。パンデミックが続くなかで、深刻な損失を被ったひとは間違いなくいる。その一方で、そうした損失を安全地帯からながめているひともいるだろう。だが、われわれはみな病気と死という環境とかかわって生きている。死と病気は広まって《イン・ジ・エア》いるばかりか、文字どおり空気中《イン・ジ・エア》にあるのだ。それなのに、われわれはそうした幾多の損失をどう記録し、どう悼むべきか、しばしばわからなくなる。このパンデミックを銘記する方法がどれだけ多様であっても――いずれ明らかになるように、パンデミックを銘記するということは、感覚の現象学について私がいわねばならないことにとって重要な意味をもっている――われわれは間違いなくパンデミックをグローバルなものと理解している。パンデミックによってわれわれは相互連関の世界に組み入れられる。たがいに影響を及ぼしあうという、この世界に生きるものがもつ能力は、生あるいは死の問題になりうるのだ。これがわれわれの共有する共通世界〔*a common world*〕であるといってよいか、私にはよくわからない。なぜなら、われわれは共通世界に住むのを望むであろうが、現在そうなっているかはわからないからである。コモンはいまだ実現されていない。いまは多くの世界が重なり合って存在していると述べるのが、おそらく適切だろう。というのも、世界の主要資源の大部分は平等に分配されていないし、微々たる分け前にしかあずかれない人々もいまだに存在するからである。パンデミックのようなグローバルな現象を銘記するとき、こうした不平等をも同時に銘記せざるをえない。現在、そうした不平等感は強まっている。身の安全を保障された裕福な人々は、そうでない人々とは別の世界に住んでいるといった物言いも聞こえてくる。これは比喩表現ではあるが、同時に現実を伝えてもいないか。そうした不平等を囲い込む単一の世界がともあれ存在するなら、そうした物言いは真剣に受け取るべきではないだろう。しかし、そのひとつの世界に、その共通の世界に、組み込まれていない世界も存在するという分析、あるいは、コモンないしはコモンズの外部にあって残存し続ける生の領域があるという分析が正しいとすれば、どうだろうか。(1)

そうした辺境に生きる人々は、その共通世界のために働いており、労働を通じてその世界と結びついているが、助詞「の」に帰属という意味を込めていえば、その世界の人々ではない。実際、誰でもできる仕事をしている人々、あるいは、資本主義的基準で認められた生産領域の外部に住む人々は、共通世界のくず、ごみとみなされている。あるいは、犯罪者の領域、ときに借金で首が回らない——返済不可能な永遠の債務、生を覆いつくし債務者の人生を超えて続く債務のなかで生きることもある——黒人やヒスパニック系の人々とみなされている。したがって、われわれは、たがいに接触し重なり合う、共通とはいえないもろもろの世界、あるいは、フレッド・モーテンとステファノ・ハーニィが主張するように、コモンズの下にある「アンダーコモンズ」——過失〔生命・身体・利益の保護のために法が要求する注意義務を怠ること〕と犯罪のゾーンであると同時に、避難、コミュニティと芸術における実験、十分な財政支援なしになされがちな差別是正のゾーン――に属するそうしたもろもろの世界について考える必要があるのかもしれない。[2] これをふまえたうえで、共有された世界あるいは共通の世界についてなおも語ることを望むなら、われわれはジャック・ランシエールとともに「全体の一部ではない部分」――コモンズとかかわることができない、あるいはできなかった、あるいはもはやできない人々――について語らねばならないだろう。[3] 世界の分有――金融資産的な分け前ではなく、世界というコモンを共有したときに得られる部分――について語りたいと思うなら、われわれは、世界を平等に分配するための公平な手段はない、ということを認めねばならないだろう。共有は参加および所属のひとつのかたちであって、経済的基準では評価できないもの、評価するにしても経済的基準を超えた物差しが必要となるものといえる。というのも、ここで問題になっているのは、株式として所有できるような資源や会社ではなく、共通の世界、コモンの感覚、世界への所属の感覚、所属の場としての世界という感覚であるからだ。私の考えでは、これは既存の社会的枠組みや社会的カテゴリーの内部で承認を求める闘争とは違う。それはむしろ、価値に対する理解を根本から変えるものである。その意味でそれは、生には価値――市場の価値を超えた価値――があるという前提に立つ生き方である。いいかえれば、世界の仕組みはいつかひとの繁栄を促進するものとなり、これは自分だけでなく自分以外のすべてのひとに対して起こる、あるいは起こるだろう、という前提に立つ生き方である。

もちろん、われわれは共通世界《ア・コモン・ワールド》という理想から遠く離れたところにいる。パンデミックによって、また、いまではワクチンの分配を通じて、人種間の不平等が明るみになり強化されている。パンデミックの苦痛は、大部分、宗主国に従属する植民地世界の内部と、有色人種のコミュニティに集中している。合衆国において黒人とヒスパニック系の人々の感染率は白人の三倍であり、前者の死亡率は後者のそれの二倍である。[4] どうしてこうなるのかは統計からはわからない。だが、次のような仮定は成り立つ。いわゆる共通世界の内部では、黒人の命が失われても、単純にいって（しばしば「人命」と表現される）白人の命の場合ほど心配の種あるいは悲嘆の対象にならないことが容認されている――それがひとつの理由である、と。実際、そうした統計上の不均衡を前にしたとき、われわれは思わず、こうした統計が出てくる世界とはいかなる世界なのか、と問うだろう。この問いの意味はいくつか考えられる。われわれは、こうした統計はどういった現実に資するのか、と問うているのかもしれないし、あるいは、この統計によってどのような世界の輪郭が描かれているのか、と問うているのかもしれない。しかし、パンデミックの状況下で社会的、経済的格差がこれまで以上に浮き彫りになり、また、見捨てられた存在、避難民、実験的生といった脆弱なアンダーコモンズの増大があらわになるなかにあって、グローバルな動きもまた存在する。その根底にあるのは、誰が早死にするのか、誰の死を防ぎうるのか、誰の死が重大問題なのかという政治的意識と結びついた、これまで以上に鋭い死の意識の回復であるように思われる。防衛手段もなく、インフラ的にも社会的にも安定した生活が約束されていない状態で、生存に必要なサポートもないまま生きているという感覚は、どの生存集団にとってのものなのか。現在われわれが目にしているのは、ワクチンのグローバルな分配と、ワクチンを買えない国々ではいまだ一度の接種もなされていないという恐ろしい現実である。[5] 免疫をめぐる世界共通の苦境によって、世界をグローバルにとらえる感覚（この感覚はグローバルなものに対する様々な感覚を通じて現象学的に心に銘記される、と想定しよう）は、ますますその吸引力を増している。たとえ、われわれがどこにいるか、そして適切に機能する社会の内部にともかく「位置づけられた」場合にどのような社会的位置にあるか、に応じてこの苦境の生き抜き方に違いが出るにしても、である。

語源をふまえていえば、パンデミックとはパン‐デモス［*pan-demos*］、すなわち、すべての人々のことである。より明確にいえば、あらゆるところにいる人々、あるいは、人々を横断する何か、人々を超え人々を通じて広がる何かである。パンデミックは、たがいにつながり相互浸透する、多孔性の［侵入孔だらけの］人々を生み出すのだ。したがって、デモスとは、あらかじめ設定された国家の市民ではなく、あらゆる人々のことである。その人々を分け隔てる、あるいはその人々の地位を選別する、法的な境界線があったとしても、そうなのだ。パンデミックは世界の人々にくまなく影響を及ぼすと同時に、ウィルスに感染しやすい生き物としての人々を苦しめる。ここで含意されている「世界」とは、いたるところ、パン〔＝汎pan〕のことである。すなわち、感染と回復を通じて、免疫、リスク格差、罹病率、致死率によってつなぎ合わされた世界である。人間が移動する以上、パンデミックの動きを止める境界線などない。また、絶対的な免疫を保証された社会的カテゴリーもない。あるひとの免疫性がまるでそのひとの社会的な力によって決まるかのようにふるまう権力のうぬぼれは、予防策をないがしろにし、そのため、感染に対する可傷性《ヴァルネラビリティ》〔感染しやすい状態〕を強化する。それはブラジルの〔第三八代大統領〕ジャイール・ボルソナーロをみれば明らかであり、われわれがバイデンの前の合衆国大統領〔ドナルド・トランプ〕とともに生々しく体験したのも間違いなくそれであった。デルタ株とオミクロン株が押し寄せたとき明らかであったように、「反ワクチン派」はその挑戦的な態度によってみずから感染に対して無防備になり、死と入院のリスクを高める。パンデミックはたえずパンであること、すなわち、世界に注意を向けることに固執しているかのようであり、世界はたえず、ウィルスへの暴露の度合いが異なる複数のゾーンに分けられているかのようである。われわれは世界を単一の地平として語りがちである。あるいは、世界という語によって、経験というものに地平が与えられると期待しがちである。だが、たとえそうだとしても、われわれは不連続、境界線、不均質を強調するために複数形の世界、つまり諸世界について語る。そして、ありのままの世界を記述するためにはそうせざるをえないと感じている。

奇妙なことに、われわれは普通ウィルスの諸世界について耳にすることはないが、暫定的にならば、それは可能になるかもしれない。仮に可能になれば、多数の世界地平、すなわち、ハンス＝ゲオルク・ガダマーの期待どおりにつねに融合するわけではない複数の地平が機能していることが、暗示されるだろう。だが、それらの地平が同期することはないだろう。つまり、それらの地平はいわば、重複や分岐はしても完全にはひとつにならない様々な時間性によって構成された、もろもろの世界‐限界であるだろう(6)。

われわれはこの世界概念にゆさぶりをかけ、地球〔the planet〕という非人間中心的な概念に目を向ける必要があると、考えるひともいる。地球という概念は、つねに地政学的なものである地理的な地図に対して批判的な見方をもたらす。そうした地図に引かれた線は、征服者の引いたもの、戦争や植民地化が生み出した国家的な境界線である。アシル・ムベンベはこう主張している。「われわれの時代の政治は、共通の世界を再構築せよという命令から始められねばならない(7)」。しかしながら、彼の主張はこう続く。企業の利益、私有化、植民地化といった目的のために地球資源を収奪すること自体を地球的なプロジェクトあるいは事業とみなすならば、以下のことが当然いえる。真の対立、すなわち、われわれの自我、境界線、アイデンティティへの回帰に帰着しない対立は、「脱植民地化」のひとつのかたちとなるのであり、それは「当然ながら、地球規模の事業、世界をラディカルに開くあるいは世界へラディカルに開かれること、孤立とは相いれない世界に向けての深呼吸である[8]」と。したがって、血統と制度的な人種差別に地球規模で対立することによって、われわれは世界へと連れもどされるはずである。あるいは、その対立によって、世界はまるで生まれたてのごとく到来し、「深呼吸」を可能にするはずである。これはいまや誰もが知っている欲望である――それをどう望んでよいかをわれわれが忘れていないかぎりは。

もちろん、世界というこの問題にアプローチする方法はたくさんある。「世界」文学をめぐる昨今の複雑な議論は、そのひとつである[9]。「ヨーロッパ」文学と「世界」文学といった区別を目にすることもあるが、こうなると、世界はまるでヨーロッパ以外あるいはアングロ・アメリカ以外のあらゆる場所のことであるかのようだ。いいかえれば、世界の中心にはその場所を示す名前がついているが、中心以外の文学のあらゆる場は他所《よそ》の場であり、ゆえにそれは世界なのである。固有名をもたない広大な領域である世界は、権力の中心との関係において、他所の場になるのだ。これとは対照的に、一九八七年に「世界‐旅」について書いた脱植民地化フェミニスト、マリア・ルゴネスは、他なるものの愛情深い知覚に向けた変容をなしとげるために自分の世界から他人の世界へ移動することについて、反帝国主義の視点から説明している[10]。この作品は出版から三〇年以上たったいまも世界横断的に読者に語りかけ続けているが、同時に、先にふれた複数に分けられた世界の特徴を描いてもおり、その際、他の世界、他の言語、他の認識論的領域に入りこんだときに起こる、方向感覚の失調の危険性を強調している。他人に触れ他人を理解しようとするなかで知識として身に着けた世界の座標軸をすすんで宙吊りにする、あるいは手放すといった、他なるものとの出会いの過程において、自分の認識論的領域——世界の限界および構造に対する自分の感覚そのもの——を転倒し、再編成すること。ルゴネスが強調するのは、そのことの重要性である。

パンデミックがもたらしたのは、世界と諸世界とのあいだのこうした揺れ動きである。パンデミックはそれ以前から存在していた世界のあらゆる不備をさらに悪化させると主張するひとがいる一方で、われわれはパンデミックによって新しいグローバルな相互連関と相互依存へと開かれると示唆するひともいる。どちらの主張も、今日の持続的な、方向感覚の失調のなかから現れる考えである。パンデミックは押し寄せる波のように広まっていく。そして、この波は希望および絶望と現象学的に結びついている。世界全域の人々にとって、パンデミックが心に銘記される仕方は場所ごとに異なるであろうが、そうであったとしても、パンデミックは、世界中に広がる現象、力、危機、さらには状態として理解されている。また——現世界の状態とみなされた場合には——きわめて特殊なかたちで世界の姿を描く（あるいは世界を前面に押し出す）ものと理解されている。いいかえれば、自分の居場所がどこであろうと、世界について考えていないひとはいないのだ。国のなかには、過剰なナショナリズム的体制に回帰してウィルスとその影響を理解しようとし、さらには、ワクチンを独占するために他の国々と競い合うところ（たとえば、ドナルド・トランプ政権下の合衆国）もあるが、そうした国の奮闘ぶりは、ある意味で、相互連関した世界のありようを示している。宗教のなかには、コロナウィルスの最悪の猛威を偶然まぬがれたようにみえる、あるいは慎重な社会的行動を通じてその影響を封じ込めたようにみえるものもあるが、原理的にいって、コロナウィルスの影響を受けない宗教はない。いかなる宗教も、まとまりのあるいかなる団体も、それどころか、他から分離したいかなる団体も、あらかじめ免疫性を保証されてはいない(11)。というのも、パンデミックという言葉は、世界と免疫学的に関係する生命に固有のグローバルな罹患性、潜在的な苦難を名指しているからだ。これは、ここしばらく、そしておそらくは今後いつまでも、世界に組み込まれる罹患性であり苦難である。コロナウィルスがひとたびエンデミック〔一地域に特有〕なものになれば、それは世界の永続する構成要素となるだろう。興味深いことに、このことを表す名詞はない。「あるエンデミック〔風土病、地方病〕が世界に解き放たれた」――とんでもない、パンデミックは解き放たれるものだが、エンデミックとみなされる病気はそうではない。後者は世界の組織の一部、世界の経験の一部になり、解き放つという動き全体の終焉にともなう新たな世界感覚になる。それは名詞から形容詞へ、世界の一時的な状態から永続的な特徴へ変わるのである。だが、パンデミックが仮に消えたとしても、免疫の可傷性《ヴァルネラビリティ》〔傷つきやすさ〕は消えない。また、われわれは、ウィルスが免疫の可傷性を暴露したがゆえにそれを嫌うとしても、それを理由に、ウィルスがなくなれば免疫の可傷性もなくなると結論すべきではない。免疫学的に考えれば、ウィルスによって顕著になった可傷性は、いかなる有機体もつねに外来栄養に依存することから生じる。人間をふくむ動物は、生きるために外的世界の要素を摂取、吸収、吸引するのである。このように、人間の身体は、外部との接触を絶たれたら生きていけない。その生は外部との相互作用によって成立する。トーマス・プラデュのような相互構築主義者〔co-constructionists〕が打ち出すこの立場は、危険をめぐるわれわれの考え方にとって重要な意味を含んでいる[12]。コロナウィルスの問題は、それが外来であることではなく、それが新しいことである。だから、われわれの免疫システムあるいはその大部分は、コロナウィルスへの暴露を通じてそのウィルスを認識するようになるワクチンあるいは抗体（およびT細胞）の助けなしにはコロナウィルスを認識できないし、それと戦うこともできない。相互構築主義者は次のように主張する。有機体は環境によって構築される。有機体のほうが逆に環境を構築するときであっても、そうなのだ、と。（これと同じ理論はアン・ファウスト＝スターリングの仕事にも見出せる。彼女の仕事は、セックス／ジェンダーの区別が自然／文化の区別にとってもつ意味をとらえ直すうえでも重要な意味をもっている[13]。）相互構築主義理論のねらいは、自己に属するものと属さないものとを区別することではなく、外的な世界がいかに身体の一部であるか――また、あらねばならぬか——を理解することである。したがって、パンデミックがもたらした免疫学的問題は、先例のないものに対する無防備という問題である。もちろん、SARSウィルスが引き起こしたエンデミックとの類比《アナロジー》が仮になかったなら、アデノウィルス・ワクチンは役に立たないと当初からいわれていただろう。また、メッセンジャーRNAワクチンは、ウィルスのかたちと突起《スパイク》に擬態することをめざして、救いの手である模像を通じて免疫システムのために新しい対象——かたちを生み出すものであるが、これは、ウィルスを同定し、それに反応し、それと戦う免疫能力を高めるうえできわめて重要である。この二つのタイプのワクチンは両者とも、自分と似た構造を認識しそれに反応する可能性を頼みにしている。この文脈では、類比と擬態の両方が免疫システムの強化にとってきわめて重要なのである。しかし、それと同時に、免疫システムにとっては、外部から来るものだけでなく有機体自体もまた敵になる。だから、新たなかたちのウィルス感染によって起こる炎症は、自己免疫の攻撃、つまり有機体が自己に向ける攻撃であることが非常に多いのである。私がこのポイントを強調するのは、パンデミックの初期にウィルスがメディアによって、ある場所、ある「外国の」場所——中国、ブラジル、南アフリカ——から来るものとして想像されていたからであり、また、正規の手続きなしに国家に移入された、招かれざる移民として描写されていたからである。その時点で、たとえば合衆国という国民国家内部の「公衆衛生」は、外的なものによって危うくなるといわれていた。これは、誰もが依拠できる免疫学的モデルというより、むしろナショナリズム的な比喩表現における移民との類比法であったし、依然としてそうである。私がこのポイントを強調するのは、周知のとおり、有機体が生存するためには外的な要素を摂取あるいは吸収する必要があるからだ。有機体にとっての危機は外的なものからではなく、むしろ自己免疫という条件から来ると、われわれは結論したくなる。だが、生物の核に外的なものを置き、身体と世界の相互作用を身体の生の第一義とする相互構築主義のモデルをいったん受け入れれば、自分を外的なものから守ることは重要なポイントではなくなる。そんなことをすれば、命にかかわるだろう。むしろ、めざすべきは、身体が衰弱や死の危険なく新たなものを受け入れ、それと共生できるように、この相互作用を変容させることである(14)。世界は人間の行動の背景として、あるいは人間の介入の場として、たんにそこに存在するのではない。日常のレベルで世界の断片は身体に取り込まれており、このことは身体と世界との、生命維持に必要なつながりを示している。有毒な空気によって肺の機能が低下するとき、水中の鉛が身体に蓄積するとき、環境における毒が身体に入って細胞組織や靭帯《じんたい》を傷つけるおそれがあるとき、このつながりは破壊的な影響を生物に及ぼす。重要なのは、外部環境を否定することではない。それは不可能である。ポイントは、生物が死の危険にさらされることなく水や空気に依存できるように、それらから毒をきれいに抜くことである。

みなさんが私をルクレチウス主義者と呼ばないと気がすまないなら、それでかまわない。だが、われわれは、自分の吸った空気を他人に吸わせ、世界の表面をみなで共有し、他人に触れるには他人から触れられねばならないことを認めないかぎり、共有された可傷性と相互依存関係を理解できない。たとえば、病気をうつされることとうつすこととの結びつきを忘れたとき、われわれはそうした他者との重なり合いと相互関係を見失う。私に起こることは他人にも起こる。少なくとも潜在的にはそうなのだ。われわれのこうしたつながりは、生物にとって命取りになりうるが、同時に、明らかに命を救うものにもなる。パンデミックによって、境界の定まった自己という通常の感覚はくつがえされる。パンデミックはわれわれのあり方を他者との関係と相互作用によって規定し、自我論理《エゴロジー》と自己利益によって倫理を基礎づけることの誤りを証明する。

先にふれた日常言語の事例、すなわち、苦痛と驚きのなかでしばしば発せられる、こんなことが起こるなんて、この世界はいったいどんな世界なのか、という問いをよりよく理解するために、私は現象学、とりわけマックス・シェーラーの仕事に目を転じる。だが、まずは、そうした発話が出てくる文脈について前置きを述べておこう。この問いが現れる理由は次のようにいえるかもしれない。それは、民主主義の制度を日常的に嬉々として破壊した体制の余波のなかで私が生きているから、あるいは、私の住む地域が気候破壊を原因とする大規模火災の被害をうけるから、あるいは、白人至上主義者が台頭し、キャンパス付近あるいはそのなかで群がっているからだ、と。そして、パンデミックが何度かの相対的な休止期間のあと様々な地域で様々な住民を襲い続けるといった文脈において、いま述べたことすべてが起こるからだ、と。この世界はどんな世界なのかという問いかけのねらいは、そうしたウィルスが発生する世界を深く理解することであると、私は主張したい。実情はたんに、コロナウィルスが新しいということではない。そうではなく、世界はいまや、われわれ（たとえば、歴史の近いところではエボラウィルスの被害を受けなかったひとたち）がかつて思っていたのとは異なる世界として開示あるいは暴露されている、ということである。世界の様相はウィルスの発生とその影響によって変容するのだ。もちろん私は、いま現れているのは世界をめぐるまったく新しい考え方であると主張しようとは思わない。パンデミックは以前にも起こっていたからである。世界はつねに、パンデミックが起こりうる場所であった。あるいは、ここ数百年間はそうであったように思われる。私は次のことを示唆しているにすぎない。このパンデミックにはなにか特別なところがある。それによってわれわれは、世界を綿密な調査の対象として再認識するようになり、世界は心配の種であると肝に銘じるようになり、いまの世界は予想とは違ったものであることに注意するようになり、世界は突然新たな不透明性を帯び、新たな制限を課すと考えるようになる、と。

　ルートヴィヒ・ウィトゲンシュタインは、意志と意識に直接与えられている世界とを混同するべきではないと書いている。彼が暗に反論しているのは、世界を表象として理解せよというショーペンハウアーの提案である。『論理哲学論考』（一九二一年）のなかでウィトゲンシュタインは、静観主義と実証主義を擁護する口実と思われかねない言葉を書いている。「善き意志あるいは悪しき意志が世界を変化させるとき、変えうるのはただ世界の限界であり、事実ではない。すなわち、善き意志も悪しき意志も、言語で表現しうるものを変化させることはできない」[15]。と同時に彼は、言語の論理と現実の構造とは模倣的《ミメーティック》な関係にあると理解していた（あとになって、言語とは言語ゲームであり、ゆえに生活の形式であると考えるようになったが）。われわれの意志が欲するものは、力を発揮して世界の限界を変える。すなわち、世界が現れる地平として了解されているものを、その明確な限界を、変える。彼の考えでは、世界に関する何かが言語によって未知の仕方で表象される。要するに、世界全体は、現実の構造が異なったものであることが判明するという意味で、異なったものとして現れる、あるいは「強まる」のである。われわれの意志によって、われわれの意志が欲するものによって、世界の限界が変わりうるとき、世界は新しい世界になる。これに続く部分では、次のようなことが示唆されている。こうした世界全体の拡大は、われわれの意志の効果あるいは意志の表象ではない。それはむしろ、世界がわれわれの想定とは違うものとして露呈されることである、と。われわれの意志が望むものによってもこの露呈は可能であったかもしれないが、その際示されるもの、現れるものは、したがって、われわれの意志のたんなる効果ではなく、世界に対する新たな感覚――新たな世界そのものではないにしても――なのである。だからウィトゲンシュタインは、あらゆる生物を束ねる世界という単一の感覚について語っているのではない。たがいに追いつ追われつしながら時間的に継起する、世界に対する諸感覚、あるいは、大地全域に空間的に配分されると考えられる連続する、世界に対する諸感覚について語っているのである。実際、世界が新たな感覚、世界の限界を変えるような新たな感覚――この感覚には限界についての感覚も含まれよう――を許容するとき、世界はそれまでとは異なる世界になる。それはもはや、われわれが自分の住みかと思っていた世界ではない。このような場合、いまのように作られた世界の限界は変化する。要するに、世界は新しくなるのである。ウィトゲンシュタインはこういっている。「ひとことで言えば、世界はそれ〔善き意志あるいは悪しき意志〕によって別の世界へと変化するのでなければならない。いわば、世界全体が弱まったり強まったりするのでなければならない」[16]。ことによると、先の主張からの脱線あるいはその例示としてかもしれないが、彼は「幸福な世界は不幸な世界とは別ものである」[17]と書いている。ここで彼は、幸福は意志と同様に世界の限界を変えられるものであると示唆している。不幸にもおなじことがいえる。というのも、不幸という観点からみれば、世界は別の世界として現れるからである。幸福あるいは不幸ということには、まさに世界全体がかかわっているのだ。

　このようなパンデミックが起こるこの世界とはどんな世界なのかと問うとき、われわれはまさに、そうした変化に注目している。われわれはいわば、既知の世界の限界に立ち、その危険な場所からその問いを発するのだ。世界についてそのように問い、世界を対象としてみるとき、つまり、世界がわれわれを新たな仕方で受け入れるのを悟るとき、世界はもはやわれわれにとって既知のものではない。そして、このときわれわれは認識する。世界とは何か、世界の限界はどのように定められ心に銘記されるのか、ということに関するわれわれの理解を変化させる何かがあらわになったのだ、と。世界は、致命的になりかねないウィルス感染が偶然の出会いによって起こる場所であるが、ことによると、われわれはそれを理解せずに世界中を移動していたのかもしれない。あるいは、われわれはそれを知っていても、どこかよその世界の話だと思っていた。だが、いまや、世界がそうした場所になりうるとわかったからには（また、風土病《エンデミックス》とともに生きてきた人々は、世界がそうした場所であること――だが、たぶんこの「風土病の起こっている」場所はその意味での世界ではないこと――を間違いなく知っていたのだから）、われわれは世界に関してこれまでとは違う感覚をもつことになる。ここでいう世界は、新しい世界、新しい時代のことではないだろう。それはおそらく、一部のひとしか出会えなかった、世界につねに潜在している何かがあらわになる、ということである。この意味で、何かがわれわれの知覚の効果としてではなく、世界の特徴としてあらわになる。このあらわになるものは、われわれの知覚に影響する。それればかりか、世界に関するわれわれの知覚にも決定的な影響を及ぼす。

ウィルスが暴露する、あるいはより鮮明にする――さらには、ウィルスがまだら模様に浸透する――世界は、地図や像《ピクチャー》によっては正確に伝えられない。というのも、この世界は、ウィルスが蔓延しその効果が出る過程であらわになる何かであるからだ。もちろん、われわれは青い王冠と突起をもったコロナウィルスの生々しい写真をよく目にする。われわれの見ているスクリーンがこうした図像でいっぱいになるとき、この図像は、それによっては正しく表象されないウィルスの状態の――いまだにそうなのだが――代理物となる。それはほとんどウィルスのロゴのようなもので、ディズニー・ワールドの広告に比せられる。像は略図としての機能をもつ。それによって、目に見えないすばやい出来事であるウィルスの活動と蔓延からウィルス自体が引き離され、ウィルスに色がちりばめられ、その突起から王冠のイメージが抽出され、ウィルスの支配力の滑稽さが強調される。もちろん、日常目にするグラフや地図は、ウィルス的世界の像を描こうとするもので、間違いなく有益なのだが、像という形式ゆえに、ウィルスのパンデミック的特徴について歪んだ理解をうながしてしまう。マルティン・ハイデガーは、

「世界像」とは世界の像ではなく、像として思い描かれ把握された世界であると主張している(18)。ハイデガーは、世界はそのように思い描けるのか、あるいは思い描くべきなのか、そして、像が世界の代理物になるとはどういうことなのか、という問題を提起した。そうした世界像を前にした主体は、この像となった世界全体をとらえようとするだけでなく、自分が知ろうとしている世界から自分が除外されていることに気づくと、ハイデガーはいっている(19)。この主体にみられる奇抜な考えは、ときおりメディアにも見出せる。この考えは、われわれは自分の見ている像の一部ではないというその前提によって、われわれの慰めとなる。しかし、ウィルスを像や図解によって把握しようと努めても、実際には、知覚主体の免疫性は確保されない。われわれは、われわれの見ている像のなかにいる。見る主体が生み出す、像との距離は、主体が認識しようとしている現象のなかに主体自身が巻き込まれることの意味を否定する、あるいは、少なくとも一時的に無効にする。

だが、ウィルスの世界、あるいはウィルスの与える世界感覚が目に見えないかたちで実存に影響し、そのなかで接触および呼吸、ひととの近接および間隔と関係していることをひとたび理解したなら、この巻き込まれるという感覚は変化するのか。ウィルスを恐ろしいものにしている原因のひとつは、かなり高度な科学技術がないと、日常生活において目に見えるようにならないことである。われわれの大多数は、免疫学や疫学の一般人向けの解説がないとウィルスの働きを理解できない。われわれの大多数は、不安のなかで推測し続ける。「あなたはウィルスに感染しているのか?」「ウィルスはどこにあるのか?」「どうすればそれがわかるのか?」。われわれは、日常生活という枠のなかでこのパンデミックの複雑で先例のない性格を理解させられる。ただでさえ難しいこの要求は、政府や厚生省がみずからの考えを変えるとき、あるいは、それらが政治的、経済的配慮に左右されていることが判明するとき、なおいっそう困難なものとなる。また、われわれが理解しなければならない対象のなかに、われわれとわれわれ以外のすべてのひとが実存的に巻き込まれるということも、われわれにはわかっている。つまり、われわれがパンデミックに関する知を得ることは、生死にかかわる問題であり、また、われわれの世界理解そのものの変化なのである。

いかなる研究分野を通じて「世界」は研究対象になるのだろうか。候補としては、地理学、天文学、世界文学、システム理論、環境科学があげられるだろう。私個人は哲学の訓練を受けた者として現象学に引き戻される。あるいは、こういってもよい。パンデミックという現象が世界感覚を明示するもの、あるいは、感覚を通じて部分的にわれわれに与えられる世界を明示するものであることを理解するために、私は現象学を未来に引き寄せざるをえないのかもしれない、と。

第一章　世界感覚——シェーラーとメルロ＝ポンティ

世界がこのように新たなかたちで突然開示されることについて考察しているテクストがひとつある。マックス・シェーラーが一九一五年——ジークムント・フロイトが『戦争と死に関する時評』を出版した年、第一次世界大戦の二年目——にドイツ語で出版した「悲劇的なものの現象に寄せて」である[1]。このテクストは、現象〔知覚的印象として現れるもの〕の領域の研究を目的とする現象学という研究分野に属しているが、フッサールの現象学からみれば異端である。現象学者であれば、主体を中心に、また、主体は何を知ることができ、いかに知ることができるのかという問題を中心に分析するであろうが、このテクストはそうした現象学者から距離を取っている。エトムント・フッサールは当時すでに、この分野で或る論争をはじめていた。それは主観世界と客観世界との相関関係（いわゆるノエシス〔意識の作用的側面〕とノエマ〔意識の対象的側面〕との相関関係）においてはどちらか一方の極が強調されるべきなのか否かをめぐる論争であり、一九三〇年代から五〇年代にかけて激しさを増していった。みずからにそなわるアプリオリな構造を通じて世界を構成する超越論的主体が存在するのか。それとも、自我や主体が余分なものであることを示すかのように、世界はわれわれの知覚に押し付けられるのか。ベルギー人哲学者、ルートヴィヒ・ラントグレーベは、一九四〇年に出た『哲学と現象学研究』の創刊号で、かなりの説得力をもってこう主張した。主体は世界を構成する起源である。世界を構成することと世界を主題化することは同じではない、と。[2] われわれはおのおの、すでに構成された世界に生まれ落ちるのだが、現象学がわれわれに求めるのは、この世界の起源を問うなかで、この世界を括弧に入れて扱う〔この世界についての態度決定を差し控える〕ことである。ラントグレーベにとって世界の起源をめぐる問いは、因果関係や創造に関する問いではなく、構成をめぐる問いである。それゆえに、世界が現れる場を区切る線あるいは限界、すなわち地平が必要となる。世界的であるもの、いいかえれば、世界に属するもの、あるいは世界の属性をもつものは、あらかじめ与えられている地平の内部に現れるが、それと同時に、超越論的主体を通じて現象として構成されねばならない。ラントグレーベはシェーラーのことなど〔論争の相手として〕念頭になかったかもしれない。なぜなら、一九三七年にはすでにジャン＝ポール・サルトルが自我の乗り越えを主張しており、また、それ以前にも、アーロン・グルヴィッチをはじめとする多くのフッサール主義者が、超越論的自我あるいは主体は存在しない、存在するのはせいぜい超越論的な場である、と主張していたからである。(3) フッサール自身は『内的時間意識の現象学』においてこう主張していた。世界が意識に対して有効に現れるのは、一連のステップ、つまり時間化（*Zeitigung*）を通じてである、と。(4) その結果、われわれにとって有効な世界のかたちは、時間という地平の内部において、またそれゆえに時間的に継続するものとして、はじめて主観的に定まる。意識がもつ、世界を構成する力は、世界を創造するのでも世界を基礎から打ち立てるのでもない。それは、世界はいかなる条件のもとでわれわれに対して認識の対象となりうるように現れるのか、世界がそう現れるのはいかなる時間的な流れを通じてなのか、また、いかなる認識行為との関係においてなのか、という問いへの答えである。いいかえれば、構成という現象学の教理は、観念論的な独断ではなく、世界はどのように現れるのか、また、意識に与えられる世界のかたちはどのように有効的に定まるのか、をめぐる探求である。というのも、世界は経験および知を規定する、意識に与えられた地平である、と指摘するだけでは十分ではないからだ。世界が意識に与えられているとすれば、その状態は、その与えられているという性格を、その客観性を、けっして否定あるいは軽視しないプロセスと行為によってもたらされる。客観的なものであっても、ともかく認識されるように現れねばならないのだ。

ラントグレーベの論文に先立つこと二五年前に「悲劇的なものの現象に寄せて」を書いていたシェーラーは、フッサールの影響をつよく受けていたものの、フッサールの哲学が世界の客観的特徴をふくむ客観的現実を支えるとは確信していなかった。シェーラーの論文は悲劇的なものを、それ自体取り出して扱えるある種の現象として扱っている。悲劇的なものは、フッサールならおそらくこういうであろうが、ひとつのノエマ層としての客観的地位を有している。しかしながら、悲劇的なものを主として構成するのは、人間の意識でも、投影あるいは解釈といった人間的行為でもないし、人間の活動から直接帰結するものでもない。この意味で、シェーラーの提示する、悲劇的なものについての思考法は、悲劇的行為に関するアリストテレス的な理解からずれている。アリストテレスによれば、行為の悲惨な成り行きは、可能性と蓋然性というルールと矛盾することがない。シェーラーにとって、悲劇的なものはルールにしばしばられない。奇妙なことに、悲劇的なものは劇の登場人物のなかには見出せないし、純粋に美学的な問題として発見されることもない。それはジャンルを規定しないし、道徳心の欠如や弱さによって破滅する、欠点のある人物を規定するものでもない。シェーラーのテクストの驚くべきところは、悲劇的なものを世界の自己開示のあり方としてとらえるというその考えである。たしかに、悲劇的なものは人間の起こす出来事によって現れるが、それが示すのは人間の特異性ではない。それはむしろ、世界の或る特徴、世界の特質のひとつである。シェーラーはいう。

悲劇的なものは、何よりもまず、出来事、運命、性格、等々のなかに観察される、またそれらのなかに実際に存在する、ひとつの特徴〔*ein Merkmal*〕である。こういってもよいかもしれない。悲劇的なものは、それらのものによって重い吐息のように発せられる〔*ein schwerer, kuehler Hauch, der von diesen Dingen selbst ausgeht*〕。あるいは、それらのものを包む、ほの暗い光のように思われる、と。悲劇的なものにおいてわれわれの前に現れるのは、一定の特徴をもった世界の素性であって、われわれの自我の、その感情の、自我が経験する憐れみや恐れの、一状態ではない(5)。

彼の論文はパンデミック時代に生きるわれわれに訴えかけるものではないと仮に思うなら、悲劇的なものが、重い吐息に加え、ウィルスのようによそからやって来る好気性の〔エネルギー代謝において酸素を必要とする〕放射物に依存していること——それゆえわれわれは、悲劇的なものはウィルス的な性格をもち、ウィルスのように運動し人々を取り囲むのではないかと推測するようになる——をよく考えてほしい。悲劇的なものは、何かを発散する重い吐息である。また〔悲劇的なものにおいては〕、好気性をもったいつまでも消えないなんらかの痕跡がどうやら特殊な光によって輝いているようなのだ。

シェーラーは、私にとっては信じがたいほど広範囲にわたる現象の客観性――それには「価値のヒエラルキー」が含まれる――を確立しようと努めたのだが、私がおもしろいと思うのは、悲劇的なものという用語が彼の仕事において帯びる客観性のオーラである。悲劇的なものは出来事のおかげで発生するが、それ自体は出来事ではない。シェーラーの説明では、それはある種の経験をひとつにまとめるカテゴリーにすぎない。われわれの注意を引くのは、彼の比較的簡素な説明である。「悲劇的なもののカテゴリーに属するためには、なんらかの価値が破壊されねばならない[6]」。私が思うに、「悲劇的なもの」によって破壊される、つまり「悲劇的なもの」によって明示される価値は、通常は破壊可能なものとして想像するのがむずかしい価値である。その価値とは何なのか。そうした一連の価値の輪郭が描けるとすれば、それはどのようにしてか。悲劇的なものは、悲しさの原因がはっきりと認識できるようなたぐいの悲しみとは異なっている。シェーラーの考えでは、われわれが悲劇的な悲嘆について語るとき、それには「ゆるぎない冷静さ」あるいは平穏な感じが「含まれて」いる[7]。そして重要なことに、悲劇的な悲嘆は世界の地平を超えて行く。これはフッサールの哲学からは逸脱した説明である。悲劇的なものは、われわれの行為が引き起こすものではない。それはむしろ外部からやって来て、そのあと魂に浸透する何かがもたらすものであると、シェーラーは表現する。悲劇的なもののきっかけが出来事――悲劇的な出来事としていずれ理解されるもの――である場合でも、悲劇的なものは、そのきっかけである出来事にけっして還元できない。それはむしろ、価値の不可避的で妥協のない破壊が起こるある種の雰囲気（*geistige Atmosphaere*〔精神的雰囲気〕）として持続するのである。[8] この意味で、悲劇的な出来事は悲劇的なもののきっかけであるが、とはいえ、その際、出来事以上の何かが開示される。つまり「世界の素性そのもの」を構成する、ひとまとまりになった一連の要素が開示される。シェーラーは、これらの要素は「そのようなものを可能にする」要素であるといっている。[9] いいかえれば、悲劇的な出来事は世界に関する何かを開示する。悲劇的な出来事はこの開示のきっかけであるが、世界はその開示の条件であり、同時にその開示という現象そのものでもある。「悲劇的なものはつねに個人的な、特異なものにかかわっているが、それと同時に世界自体の構成〔*eine Konstitution der Welt selbst*〕でもある」[10]。だから、シェーラーにとっては明らかに、世界が超越論的主体によって構成されるということにはならない。フッサールが提示した限定的な意味でも、そうはならないのである。実情はむしろこうなる。価値のあるなんらかの物やひとが、あるいはより厳密にいえば、そうした物やひとが有するなんらかの価値が、大々的に失われたり破壊されたりしたのをきっかけにして悲劇的なものは現れるが、その際、失われた価値に対する悲嘆だけでなく、世界がそうした出来事の起こりうる場所であるというショックあるいは当惑もまた、悲劇的なもののありかとなるのだ、と。

私の考えでは、シェーラーが指し示しているのは、「こんなことが起こるこの世界は、いったいどんな世界なのだ！」という感嘆にひそむ、この悲劇的なものの感覚である。悲劇的なものは、たんなるこの出来事、この喪失、この価値の破壊ではなく、そうした破壊が起こりうる世界、あるいは、そうした破壊が可能となった世界であるといえるかもしれない。悲劇的な出来事において、あるいはそれを通じて「われわれはなんの考慮も「解釈」もせずに、ある一定の世界の素性に直面する」[11]——これがシェーラーの強烈な反主観主義に込められた考えである。彼はよりくわしく、こう論じている。

> これ〔ある一定の世界の素性〕は、悲劇的な出来事においてわれわれの前に立ちはだかる。それは、その誘因となった事態に対する作用から導かれるものではない。それは、ほんのいっときだけ出来事と関係するのであり、出来事を形成する諸要素からは独立している。……その〔悲劇的出来事の悲嘆のような、あらゆる客観的な悲嘆の〕深さは、その主題の二つの面からもたらされる。ひとつは、われわれの目にする出来事という要素。もうひとつは、世界の素性〔構成〕における要点、出来事によって体現されるとはいえ出来事はあくまでその一例にすぎない要点である。悲嘆は出来事から無限の空間へと〔世界の地平を超えて〕あふれ出ていくように思われる。悲嘆はあらゆる悲劇的な出来事に共通するような普遍的、抽象的な世界‐素性〔構成〕ではなく、むしろ、世界の構築の確固たる個別的な要素であ

る。悲劇的なもののいわばより遠いほうの主題は、つねに世界そのものである。すなわち、そのようなものを可能にする、全体としての世界である。この「世界」は悲しみに浸された客体であるように思われる(12)。

ポイントはまさしく「あれやこれやの生の喪失はたいしたことではないと述べることではなく、そうした出来事を想像できずにいた、世界に対する感覚が失われること」である——このテクストはそう示唆している。このテクストは、そうした生と、そうした生が営まれる場である世界について述べているのだ。その内容は生と世界の両方であり、両者のあいだの運動である。実際、悲しみは、生と世界とのあいだを揺れ動く。すなわち、特異で取り返しのつかない喪失という出来事と、その全体を像では表せない、悲しみに浸された世界とのあいだを揺れ動く。喪失をめぐるいろいろなストーリー——たとえば、病院での携帯電話、病院からの締め出し、病院にたどり着けない、あるいは入院できないこと、等々——が重なり合うかぎりにおいて、これはある程度、真実である。そうしたストーリーは、あれやこれやの喪失、きわめて具体的な個々の喪失に言及している。しかし、それぞれのストーリーを通じて、そうしたモードの言及が繰り返されるなかで、喪失の世界がぼんやりと現れる。あるいはおそらく、その世界を取り囲む雰囲気が、空気そのものに、あるいは空気をいまここで銘記する方法そのものに変わるか、変わるおそれがある。われわれは呼吸をする。それは、われわれがある意味で生きていることを意味する。だが、潜在的かつ現実的な悲哀がわれわれの吸う空気のなかにあるのだとすれば、呼吸はいまや、ウィルスとその結果生じることもある悲哀――そしていうまでもなく、生き残る生――にとって移動手段となる。

だが、シェーラーは、悲劇的なものによって、なんらかの積極的な価値が破壊されると示唆している。その価値とは何か。その価値体系とは何か。ひとつは接触、もうひとつは呼吸である。そのほかには、世界における複雑な表面と囲われた土地――住居および避難所としてだけでなく、潜在的に危険な囲われた土地としても思い描かれる居住インフラ――である。物の表面とわれわれの吸う空気とからなる世界は生命の支えとして機能すべきであるという規範的な主張をするとき、私は新しいことをほとんどいっていない。パンデミックの状況下では、われわれの生命を支える要素そのものが、われわれの生命を奪う可能性がある。たとえば、われわれはひとに触れること、空気を吸うこと、ひととの不意の近接、見知らぬひとの発する歓声、密着したダンス、等々に不安を覚えるようになる。それらはみな障害、われわれの気を滅入らせるものであり、社会性のあらゆるつなぎ目に悪影響を及ぼす、ある種の永続する悲しみである。したがって私は、シェーラーを出発点にして、パンデミックの状況下での生き方について問いたい。より一般的にいえば、生存可能《リヴァブル》な生の条件について問いたい。現在はまるで、生に必要な基本的条件がむき出しになったかのようだ。そして、パンデミック以前に行われていたであろう、いまよりも自意識的ではない容易な接触と呼吸の仕方に対して、われわれは自覚的になったかのようだ。われわれは、自分たちが大事にしていた、他人との物理的近さを失う。そして、ひととの接触、触知するという感覚、ひととのつながりを失う。家庭外でひとと親密になることの価値が失われ、無理をしてでもひとと接触することがなくなるなかで、われわれは自分だけの空間、住居と家、近所の通りといった境界の内側に後退する。

　愛する人に会えない、あるいは、いろいろな会合に参加できないのは、たしかにさびしいことである。だが、われわれのいう世界の範囲を定めるのは、それだけではなく、地平の収縮でもある。だから、おそらくここでの問題は、シェーラーが悲劇的と規定した問題——ウィルスによる脅威と破壊が可能である世界——だけでなく、生をめぐる以下の問いでもある。生物として、あまたある生物のひとつとして、生活プロセスのなかにあるひとつの生として、そのような状況で生きることは何を意味するのか。彼は悲劇的なものと結びついたある種の罪悪感に言及している。だが、それは個人の行為に端を発するものではない。それはある種の責任感であり、世界自体の構造から発生すると思われる。つまり、危害を加える道具や状況を生み出した個人的責任はわれわれにはないにしても、われわれはたがいに対して責任があるという事実から発生すると思われる。シェーラーの言葉でいえば、「悲劇的なものは——少なくとも人間の悲劇の場合――たんに「罪」の欠如に存するのではなく、むしろ、罪悪感の所在を定められないことに存する」[13]。実際、悲劇的なものの感覚は、出来事の責任の所在が特定できなくなるなかで増幅する。

コロナ禍における一連の制限は、もちろん、核家族という規範を超えて親族をつくる新たな実験――家族という枠にしばられないケアの共同体――の機会となる。また、プラスティックだらけのパック入り食品を配達してもらうひとが増えたとはいえ、経済活動の部分的抑制によって自然環境が改善されたという感覚もある。見知らぬ者同士は、猜疑心だけでなく驚くべき配慮をもって相手と接している。〈ブラック・ライヴズ・マター〉のような社会運動では、ひとはマスクをつけて街頭に出る。そして、人種的、経済的正義を求めるその絶え間ない感動的な行為がウィルスの感染源とならないように、責任ある行動をしている[14]。私の住んでいる場所で、国民医療保険に賛成する議論がこれほど強まったことはない。国民所得保障と単一支払者保険に賛成する意見が出てくる可能性も、これまで以上に高まっている。社会主義の理想は復活している。監獄の廃止と警察資金の打ち切りを求める運動はもはや、反対派がいうような「常軌を逸した」夢想ではない。それは市議会や地方当局において公然と議論されており、それをきっかけに、暴力的な監獄制度に代わる別の制度を見出すための具体的な行動が出てきている。社会的、経済的な境界線は、ややもすれば人々を分断し、人々に価値のヒエラルキーを押し付けるものだが、悲しみや連帯感のなかには、そうした線を横断してひろがっていくものもある。ワクチンを接種し、マスク着用を公共生活の義務として受け入れるひとたちがどんどん増えるなかで、死も喪失もない、ひどい経済的、社会的格差もないとあくまで白《しら》を切る人々は、力を失っている。

パンデミックという状況によって、不安定であると同時に持続的でもあるきずなが生み出され、われわれはたがいにつながる。この状況においては、守る価値のある命と守る価値のない命とをわける基準があり、それは容認されたり反対されたりする。許容可能な死者数を定めた基準も同様である。大学と財界は、自分では否定してはいるものの、そうした基準にもとづいて決断している。学校や大学は、病気になるひとは何人、死亡するひとは何人という計算にもとづいて、パンデミックのピーク時に授業を再開した。そうした決断には、失われてもよい命がつねに折り込まれている。そうした決断が機能するために犠牲にされる人々がつねに存在するのだ。そして、パンデミックのピーク時に各種事業を再開するそうした決断がその種の人々として想定しているのは、黒人、ヒスパニック系の人々、高齢者、基礎疾患のあるひとたち、貧者、ホームレス、障がい者であり、また、国境付近に留め置かれたひとたち、あるいは、過密な仮収容所に入れられたひとたちを含む囚人である。こうしたあらゆる窮乏状態とは反対に、富を再流動化する新たな運動があり、その数と勢いは今後高まっていくかもしれない。その運動に携わる人々は、いまのように構築された世界にぞっとしており、それとは別の世界を構築しようと努力している。しかし、新しい世界をつくることは彼らの手にある。というのも、人間の行為は世界の中心にはないからだ。だが、人間の活動を規定する条件と限界がひとたび定められれば、新たな世界は現れる。そのときになってはじめて、気候破壊は改善へと向かう。そして、そのときになってはじめて、われわれをつなぐ倫理的なきずなは、自己というものの権力拡大を制限し、弱者の命の軽視を容認する経済的計算を抑制する。

　この世界はどんな世界なのか、という問いかけをうながすのは、われわれはこの世界でいかに生きるべきか、という別の問いである。おそらくここからは、さらに次のような問いが出てくるだろう。この世界を前提にした場合、どうすれば人生は生存可能《リヴァブル》なものになるのか。どうすれば世界は居住可能な「居住に適した」ものになるのか。というのも、基本的価値観の破壊がすすむ世界に対してわれわれが根本的な異議を唱えるとすれば、つまり、その世界が一連の問いを誘発するとすれば、それは倫理的指針の喪失というゆゆしき事態のためであるからだ。われわれは、この世界は実現可能であったかもしれないいかなる世界の理想とも無縁であるといわんばかりにふるまい、かくのごとく世界に対して非難の声をあげる。そうなるのは、ひとつには、未曾有《みぞう》の免疫危機を受けて組織されたいまの世界において、どう生きるのが最善なのかがわからないからである。つまりわれわれは、この世界における生存可能な人生がいかなるものであるかがわからないのだ。居住可能な世界がなければ生存可能な人生はありえないということを、われわれはおそらく以前よりも明確に――あるいは以前とは違ったかたちで――理解している。私はこの後半の二つの問い〔どうすれば人生は生存可能なものになるのか、どうすれば世界は居住可能なものになるのか〕について考えてみたい。そして、シェーラーの思考が答えを導くうえで役立つのかどうか、あるいは、それが限界にぶつかるのかどうかを確認したい。

　生存可能な人生を求めるとは、生きる力、みずからを活気づける力、みずからの生を欲する力が特定の人生に備わるのを求める、ということである。人生はどうすれば生存可能なものになるのか、とわれわれが問うのは、ある状況では人生が生存可能でないことを知っているからである。たとえば、貧困、投獄、生活困難、社会的あるいは性的暴力――ここには同性愛やトランスジェンダーに向けられる暴力、人種差別的暴力、女性への暴力が含まれる――といった状況では、まさにそうなのだ。私はいつまでこんなふうに生きられるのか、という問いは、これとは別の生き方があるに違いないということ、そして、われわれは生存可能な人生と生存不可能な人生とを区別できる――正確にいえば、区別しなければならない――ということを暗黙の前提としている。どうすればこの状態で生きられるのか、という問いが或る確信――「この状態で生き続けることはできない」――に変わるとき、われわれは哲学的でもあり社会的でもある、以下のような焦眉の問いの渦中にいる。生そのものの持続を約束するような人生の営みを可能にする条件とは何であるのか。そして私は、われわれの生の価値を肯定するために、自分の人生を誰と分かち合うのか。これらの問いは、よき人生とは何かという問いとは違うし、人生の意味とは何かという昔なつかしい実存主義的な問いとも違う。

　最初のほうで示唆しておいたように、どうすれば人生は生存可能なものになるかという問いは、どうすれば居住可能な世界は生み出されるのかという問いと結びついている。後者の問いは、マックス・シェーラーの提示したものではなかった。だが、それは、彼が分析した世界の感覚、すなわち、彼の主張する、悲劇的なものを通じて開示される世界の感覚から出てくる問いである。世界が悲しみに浸された客体であるとき、どうすればそうした世界に住むことが可能になるのか。世界を居住不可能な場にする悲しみが永続することについてはどうか。答えは個人の行為や個人の習慣にはない。答えはむしろ、物理的距離に関係なく発生して世界に住むための条件を生み出す、ひと同士の連帯にある。シェーラーが主体をお払い箱にしたあとで、私は再度、主体の場を確保しているのか。それとも私は議論を、生、生きること、生存可能性の問題――たんなる人間中心主義的な意味でいうのではない――に移しているのだろうか。われわれは否定的な作用をもつ驚き、畏縮《いしゅく》、ショックについて考察してきた。つまり、出来事そのものではなく、そうした出来事が起こりうる世界について、である。だが、そうした出来事が起こるとすれば、そして世界がそうした出来事の起こりうる場であることが判明するとすれば、そうした世界でどのように生きればよいのか。そして、どうすれば、そうした世界はわれわれにとって生存可能な場になるのか。

この最後の問いは、先に述べた第二の問い——居住可能な世界とは何か——とは微妙に異なっている。この最後の問いは、生存可能な人生を送るとは何を意味するのか、という問いと重なり合っているようにみえる。だが、両者は異なる問いである。二つのうちの第一の問い〔どうすれば、世界は生存可能な場になるのか〕は、おそらくシェーラーの精神をふまえて、世界を根本的なものとして前提としている。だが、それは人間という要素をその生活形式を通じて考慮に入れている。人間の生活形式は、人間以外のそれと結びついて、別の問い——では、どうすれば人間および人間以外の生物が世界に居住できるようになるのか——を生み出すのである。第二の問い〔生存可能な人生を送るとは何を意味するのか〕は、生存可能な人生と生存不可能な人生との区別を前提としている。区別とはいっても、より正確にいえば、これは生存可能性の度合いの違いである。

世界のなかで生きることについて問うとき、われわれはすでに、世界のなかに住むことについて語っている。というのも、世界のなかに住まなければ、世界のなかで生きられないからである。住むということからは、持続と空間という問題が出てくる。仮に大地〔the earth〕についてのみ語るのであれば、話は変わるだろう。大地の多くの部分は、ひとが住まない状態のまま存続する。気候破壊のなかにあって、これは何よりもわれわれを安心させる。しかしながら、世界にはつねに、居住の空間と時間が含意されている。世界には、生の営みを時間的、空間的に定める座標軸――生き物と環境のネットワークないしはそれらの領域との関係において、時間と空間を通じて持続をもたらすあらゆる支え――がそなわっているのだ。世界が居住不可能なものであるとすれば、それは破壊が世界を支配してきたからである。人生が生存不可能なものであるとすれば、それは生存可能性の条件が破壊されてきたからである。気候変動による大地の破壊は、居住不可能な世界を生み出す。これによってわれわれは、人間の住環境となる場所を制限する必要があることを思い知る。というのも、われわれが大地のあらゆる場所に住めば、大地は必ずや破壊されるからだ。われわれの生活する場所と方法を制限することは、大地を保全するために必要である。そのことがひるがえって、われわれの生の保全につながるのである。これは単純なことのように思われるかもしれない。だが、人間が世界に居住する方法には、よいものとわるいものがある。そして、人間の居住する範囲とその破壊的な混乱を制限しないかぎり、大地は生き残れない――再生しない――のである。気候変動という状況下で居住可能な世界を生み出すために、人間はみずからにしばりを課す。居住を可能にするためには、世界を部分的に居住不可能な状態にしておかねばならない。われわれが住む世界は、大地をふくみ、大地に依存し、大地なしに存在できない。さらにいえば、世界が居住可能なものでなければ、人生は生存可能なものにならない。したがって、生きるとは、そして生存可能なかたちで生きるとは、生きるための場所、すなわち、大地を破壊せずに居住できる大地の一部分を手にすること、住まいをもつこと、われわれの生活の構造（およびインフラ）によって維持され保護される世界においてひとつの身体として居住できることを意味する。要するに、コモンの一部となること、コモンとしての世界を共有することを意味するのである。

世界に住むことは、生存可能な人生の必要条件である。だから、居住可能な世界という問題と生存可能な人生とは最終的に切り離せない。人間が生物多様性を顧慮《こりょ》せずに、気候変動を止めずに、二酸化炭素排出を抑えずに大地に住んだ場合、われわれはみずから、居住不可能な世界を生み出すことになる。世界と大地は同じものではないだろう。だが、大地を破壊すれば、世界を破壊することになる。人間の生活がわれわれの自由を制限せずに営まれた場合、われわれは生存可能な人生を犠牲にして自由を享受することになる。われわれは自由の名のもとに、みずからの人生を生存不可能なものにする。より正確にいえば、われわれは始終、個人的自由と生産性重視の名のもとに、世界を居住不可能なものにし、人生を生存不可能なものにする。個人的自由と生産性重視は、他のあらゆる価値観より重くみられており、社会的きずなと生存可能な世界を破壊する道具となる。個人的自由は、その様々な種類をふくめ、世界を破壊する力とみなされねばならない。私は断じて、個人的自由に反対しているのではない。この自由の破壊的なかたちは、ひとや個人にかかわるのではなく、むしろネーションへの所属感覚に、さらには、大地とその気候の破壊を合理性から解釈する、市場における利益と得《とく》の感覚に、かかわるように思われるのだ。この自由によって妨害されている、それとは別のかたちの自由もある。後者が現れるのは、社会生活のなかから、すなわち、共通世界《ア・コモン・ワールド》を得ようとする生、共通世界を自由に得ようとする生のなかからである。

本章において私は、パンデミックによって規定された現在に照らして、哲学的な探求と政治的な考察のあいだを意図的に往復した。先に示唆したように、パンデミックが社会的、経済的世界の未来について何を教えているかについては、いくつかの対立する意見がある。不安定性《プレカリティ》と貧困は周知のとおり増大している。しかし、多くのひとは、この間に社会性と連帯の意義がとらえ直されることに期待しており、グローバルなレベル、地方レベル、各地域レベルでひろがるケアと相互依存のネットワークの再建を求めている。多孔性という身体の不変の性質——身体に開いたいくつもの穴、粘膜内層、気管——が生と死の問題として顕在化するなかで、たいていの個人主義が前提とする確定された身体の境界線は、疑わしいものになっている。だとすれば、われわれはこの時代に、相互依存、絡み合い、多孔性といった身体的な関係性をどのように再考するのか。より正確にいおう。すでに激しい変化のなかにあるこの時代とこの世界は、いかにして相互依存、絡み合い、多孔性について反省する好機となるのか。さらにいえば、感覚経験を組織するという着想や考え、あるいはその方法から、われわれは社会的な平等と不平等を理解するための新たな方法を得られるのか。社会性と生存可能性という、厄介な、重なり合う感覚によって、われわれの重要な政治的概念は改変される――それが私の考えである。以前にはわからなかったとしても、この問いに問いかけの主体自体が巻き込まれていることは、いまや明らかである。この問いかけは、ある程度、学術的な探求と日常的な経験、両方の確固たる地平を超えて、ひとつの思考を開始することをめざしている。

本書のはじめから、私はムベンベを参照して、世界と地球〔the planet〕を区別している。そして、地球が荒廃すれば、ひとつの世界、呼吸する場としての共通世界を想像可能にする地球規模の戦略が必要になる、と示唆している。また私は、フッサールが意識と世界のあいだの相関関係、志向性の両極であるノエシスとノエマ――これが認識経験の構造である――を設定したことにふれた。そして、シェーラーがある面において、世界の客観性を強調しつつ、超越論的主体をしりぞけようとしたことに注目した。シェーラーの理解する悲劇的なものとは、世界の刻印を示す様態であり、経験の限界、世界の地平を凌駕する悲しみを世界が喚起する際の方法なのである。この意味でシェーラーは、彼の論文の数年後に本を書いたウィトゲンシュタインと共鳴している。しかしながら、メルロ゠ポンティとともに意識の身体性に照らして考えてみたとき、相関関係という考え方は貧しいものであることが判明する。彼にとってきわめて重要な問題は、世界が私にとって認識可能なように構築されていることではない。また、私の認識様式が世界を正確に理解できるようにつくられていることでもない。そうではなく、私が身体として、私の認識対象である世界の一部であること、私がすでに世界のなかにあり、見られ、移動し、身体に具現していることである。知覚された身体という空間的な限界は、身体固有の広がりを見誤らせる。というのも、身体はつねに私にとってここにもあちらにもあり、一か所に根付くとともによそにも移されるからである。私からみて向こう側にある、あるいは私の周囲にあると普通考えられる世界は、実際には、すでに私のなかに、そして私にぴったり接して存在している。このかたちの付着を、世界が私にねばりつき私に浸透する状態を、回避する安易な方法はない。私の反省能力、私が私自身を見る、あるいは感じる能力（見ることが可能だとすれば、の話だが）は、経験の二つの極である主体と客体のあいだを揺れ動く。「眼と精神」においてメルロ＝ポンティは次のようにいっている。

私の身体は、見ると同時に見られている。すべての物を見るものは、自分自身を見ることができるし、自分が見るもののなかに、自分の見る力の「裏側」を認識することができる。私の身体は、見ている自分を見ており、物に触っている自分に触っている。……私の身体は、混在やナルシシズムを通じて、見るものが見られるものに、感ずるものが感じられるものに内属することを通じて〔不透明なものになる〕自己である。それゆえに、それは、事物のなかに捕らえられた自己、表と裏、過去と未来をもつ自己である。

そしてこう続ける。「物は……身体の肉にはめ込まれており、言葉のまったき意味での身体の一部をなしている[15]」。

死後出版された『見えるものと見えないもの』においてメルロ＝ポンティは、さらに思考を深化させている。われわれがともあれ何かに触れることができるのは、触知可能な世界のおかげである。自分が或るものに触れたのはいつ、どのようにしてか、ということについて私はその気になればストーリーを語れると思っているが、そうしたストーリーを語る「私」は、その最初の触感、その触感《タッチ》／接触《タッチング》の場面から完全におくれてやって来る。この「私」はつねに、私を成り立たせる触感の場面に追いつこうとしているが、物語の再構築を可能とするには、おそらく虚構と空想にたよるしかない。触感の力は、私の生み出したものではないのだ。したがって、私が何かに触れるとき、また私が私自身の触感を感じる、あるいは私の触感をほかの物に触れるなかで二重化するとき、世界の一領域あるいは特徴——世界が開示されるひとつの様態——として理解される触知可能なものは、すでにそこにある。私はあの他人に触れた。だが、私自身の肉がじゃまをする。なぜなら、この触感の瞬間、私は他者に触れることにおける私自身の触感から、逃れようと思っても逃れられないからだ。実際のところ、問題はたんに、触感のダイナミックな場面におけるもつれではない。触感からは、触知可能なものが出来《しゅったい》する。触知可能なものとは、対象関係と自己関係が逆転したり重複したりすることで両者が掛け合わされ圧縮される、そうした場として理解されるものである。そういったわけで、私の身体がたとえばここにあり（パンデミックの状況ではたいていの場合、私の身体は閉じ込められ、取り囲まれ、孤立させられる）、よそにはないとしても（むろん、よそにいられる場合もあるので、それは除くが）、私の身体は依然として向こう側にあり、私が触れることのできる、あるいは現に触れている対象のなかにある。なぜなら、この身体は肉（le chair）の領野に、あるいは細分化され重なり合った肉の世界に、属しているからである。この重なりあう肉はひとつにまとまっていない。そこにある差異こそが肉自体を構成しているのである。肉とは、ダイナミックな相互関係という視点から、限界づけられた身体を理解することなのである。

メルロ＝ポンティ自身はこれと同じくらい重要なこととして、こう主張している。「それ〔私の身体〕が対象と同じ意味でここにないしいまある、ということはできない」。また、彼によれば、「私はつねに私の身体と同じ側にいる」が、私が触れるものは、他者によって触れられ他者にとって触知可能な物と表面の世界を生み出す[16]。その表面に触れたことのある、あるいはそれにいま触れている、あるいは将来それに確実に触れる、個体や他者たちと私は結びついていないが、たとえそうだとしても、共通点のないそれらの接触機会はたがいを含意している、つまり、相互に関連している——ただし、それらの接触機会が時間的あるいは概念的に統一されることは、どのひとの精神においてもありえないが。悲劇的なものによって、世界を構成するはたらきをもったものが解明あるいは開示される、というシェーラーの論点と共鳴するかのように、メルロ＝ポンティはこう主張する。行為はみずからの可能性の条件をあらわにする。たとえば、名付けの可能なものは名付けという行為においてあらわになり、可視的なものは見るという行為においてぼんやりと現れ、触知可能なものは接触という行為においてわれわれに印象を残すのだ、と。

ここでメルロ＝ポンティは間主観性を絡み合い〔*entrelac*〕と書き換えている。この言葉は相互連繫や相互関係を含意している。そこでは複数の要素がたがいに影響を及ぼしあうが、それらの要素をひとつ一つ見分けられるとはかぎらない。他者の触感は私が感じる何かであるが、ある意味で私は、触れられるという状態のなかで、私に触れているものに触れている。この意味で、あらゆる受動性は絶対的な受動性になりえない。私だけが接触という行為をしている、私だけが接触という場面における行為者である、と想像したところで、それはくつがえされる。なぜなら、他者の肉の受容性——他者に触れるという行為自体における、他者から触れられる状態——がつねに存在するからである。受容性とは、私が触っているものから触りかえされることをいう。この見方においては、能動と受動という両極端は混ざりあっている。同様に、意識と世界との区別も明確ではなくなっている。身体とそれがもつ感覚を通じて、そうした二項対立を超えた織り交ぜられた複数の身体という感覚が導入される。われわれがたがいに密接に結ばれている状態は、厳密にいって偶発的なものではない。ひとつの身体であることは、他者や客体と、物の表面や自然界の要素と、密接に結びつくことである。この要素には、ひとが吸いそして吐く空気、誰のものでもなく且つ誰のものでもある空気が含まれる。

この考え方はわれわれの時代にとって重要な倫理的、政治的意味をもっているのではないか。というのも、それによってわれわれは、個別化した身体に包まれた孤立した個人という存在論を乗り越える、相互依存を理解するための方法を得られるからだ。これは哲学的に考えるまでもなく、わかりきったことかもしれない。だが、現象学はわれわれの時代のために、この生まれつつある、あるいは突然現れた理解の方法を明確に表現してくれるかもしれない。もつれ合い、たがいに依存しあう複数の生というこの概念は、さらに気候変動に関する政治的理解へと敷衍《ふえん》されねばならない。現象学をすすんで選ぶことによって、居住可能な世界という概念は気候破壊の状況とつながるかもしれないのである。生がわれわれのあいだを行き交う空気に、自然と労働を源泉とする食べ物と住まいに依存するとすれば、気候破壊はパンデミックとは違った意味で、生の必要条件を浮かび上がらせる。

空気、水、住まい、衣服、保健医療は、パンデミックにおける不安材料であり、気候変動のもとで妥協を強いられるものである。それだけではない。それらは生活の必要条件、生き続けるための必要条件でもある。きれいな水、適切な住まい、呼吸に支障のない空気、保健医療が得られないことでいちばん苦しむのは、貧しい人々である。だから、窮乏生活という状況下では、生存可能な人生を送っているかどうかという問題は、切実な経済的問題である。何人もの人々が生きるために十分な、私に関係するすべての人たちが生きるために十分な、医療サーヴィス、住まい、きれいな水は存在するのか。この問題にともなう切迫した実存的な危機は、経済的な不安定性《プレカリティ》によって高まっている。そして、この不安定性は現在のパンデミック状況のもとで強まっている。

もちろん、どうなれば生きていられなくなるかという限界をめぐる経験は、ひとによって異なる。一連の制限があっても生きていられるかどうかは、自分の人生に必要なものをどのように判断するかにかかっている。「生存可能性《リヴァビリティ》」は最終的には控えめな要件である。たとえば、ひとは、どうすれば私は幸せになるか、とは問わない。また、どういう生活をすれば、いちばん明快に私の欲望は満たされるのか、とも問わない。ひとはむしろ、人生そのものが耐えられるものになり、それによって生き続けられるようになる、そうした生を望んでいる。いいかえれば、ひとが求めているのは、生の維持と存続を可能にする、生に必要な条件である。別の表現をするなら、生きたいという欲望を可能にする生の条件とは何か、となるだろう。というのも、われわれにはわかっているからだ。なんらかの制限状況——投獄、占領、拘留、拷問、国籍喪失、等々——においてなされるのは、人生はそうした状況で生きるに値するのか、という問いかけであろう、と。そして場合によっては、生きる欲望そのものが消え、人々は自殺する。あるいは、緩慢な暴力がもたらす緩慢な死を甘受する。

　パンデミックは明確に倫理的とわかる問いを提示している。というのも、私が生きるために受け入れる制限は、私自身の命だけでなく他者の命を守るための制限でもあるからだ。われわれの生は結びついている、あるいは絡み合っている。制限を課されることで私は特定の行動ができなくなるが、制限は同時に、相互連携からなる世界というヴィジョンを明確にし、私はそのヴィジョンを受け入れるように求められる。この制限が仮に言葉を話せたら、私にこう要求するだろう。あなたが営むその生は、他の生と密接に結びついていると理解せよ、そして、この「たがいに密接に結ばれていること」をあなたという存在の根本的特徴としてとらえよ、と。私は自己境界線のはっきりした生物として完全密封されているのではなく、共有された世界に息を吐き出している。この世界で私は、他者の肺を通じて流通する空気を吸っている。多くの場所への訪問を私が制限される理由は、自衛のためであり同時に他者を守るためでもある。私は、自分の命を奪うおそれのあるウィルスに感染するのを抑えているだけではない。私がおそらく自覚のないまま保有している、他者を衰弱させその命を奪うおそれのあるウィルスを、誰かにうつすのを抑えてもいるのだ。いいかえれば、私に求められているのは、死なないこと、そして、他者を死と病気のリスクにさらさないことである。似たような行為には似たようなリスク負担がともなう。それゆえ、私はこの要求に従うかどうかを決めねばならない。この要求の二つの部分を両方とも理解し受け入れるためには、私は自分がウィルスを伝搬するだけでなくウィルスに感染する者でもある――それゆえ潜在的には、働きかける側であると同時に働きかけられる側でもある――ことを理解しなければならない。この能動と受動のいずれの極からも逃れることはできない。すなわち、呼吸がもつ二重の側面――吸うことと吐くこと――に対応したリスクから逃れることはできない。まるで私は、他者に害を与える、あるいは他者から害を受けるのを見込んで、他者と結びついているかのようだ。私の生と他者の生の基盤は、われわれの生がわれわれひとり一人の行動様式に部分的に依存しているという認識にある――パンデミックが生み出す倫理的な困惑あるいは方向性は、この洞察からはじまる。少なくとも、私の行為はあなたの生を左右し、あなたの生は私の生を左右する。それゆえ、潜在的にはそうなのである。私が、私利の追求によって日常の道徳的思考が支配される合衆国のような国の出身である場合、私は自分勝手な行動に慣れており、他者に実際に配慮するかどうか、配慮する場合はいかにそうするかを自分で決めることに慣れている。だが、パンデミックに特有の倫理規範においては、たがいにどうかかわるのが最善なのかを考慮する以前に、私はすでにあなたと関係しており、あなたはすでに私と関係している。われわれは文字どおり、たがいの身体のなかにいる。そうでなければ、われわれは不安をいだかないだろう。われわれは空気と、手に触れる物体の表面を共有している。われわれは偶然に、あるいは故意に、他人と遭遇する。われわれは見知らぬ者同士としてたがいに近づく。私の包装した荷物を、あなたは開封あるいは運搬するかもしれない。あなたは荷物を私の家のドアに置き、その瞬間、私がドアを開け、われわれは対面するかもしれない。私利の追求という支配的な枠組みにしたがうなら、われわれはあたかも、たがいに分離した生が先にあり、そのあとで社会的な取り決めをするかのように行動する。これは多くの道徳哲学の支えとなっているリベラリズムの奇想である。われわれはある意味では、われわれをしばる契約以前から、また契約の外部に、存在しており、そうした契約を交わしたとき個体性と無制限の自由を失う。だが、個体性が明らかに形成されたものであり、その完成度が、精神分析の主張するようにどうみても貧弱であるのに、われわれはなぜ最初から個体性を前提とするのか。私の生が他から独立した生として想像できるようになるのは、いつ、どのようにしてかと問うとき、この問い自体が答えとして機能し始めることがわかる。個体性は想像されたステータスであり、明確に社会化された想像的なものに依存している。実際、幼年時代の初期は根本的な無力状態を特徴としており、幼児の生存は、栄養、住まい、防寒を保証してくれる一定規模の資材とケアの実践に依存している。食べ物、睡眠、住まいの問題は、われわれの生の問題、まさに生存可能性《リヴァビィティ》の問題と切り離せなかった。誰であれ人生を始めて、他人から分離した「私」を想像するようになるためには、たとえ必要最小限ではあれ、そうした必需品が供給されていたにちがいない。われわれはみな単独の個人であり、他人と区別され空間的にも他者から遮断されおり、分離されるだけでなく、もとより独立している——われわれがある時点でそう断定するためには、他者、供給物、独力では手に入らないあらゆるものに対するこうした依存が、無視されねばならなかったのだ。個人化には依存がとりつき、それを消すことはできないが、この依存はまるで乗り越えられるかのように、あるいはすでに克服されたかのように思われている。しかし、パンデミック下で完全に孤立した、ひとりで暮らす個人は、きわめて危険な状態にあるもののひとつである。他人に触れたり触れられたりせずに、呼気を共有せずに、どう生きるのか。それで生きていける《リヴァブル》のか。私の「生」が最初から、あくまでもあいまいな意味で私のものであるにすぎないとすれば、社会的な相互依存の領域は、道徳的な行為を熟慮するのに先立って、あるいは任意に結ばれた社会契約の恩恵に先立って（むろん、あらゆる社会契約が任意であるわけではないが）、介入することになる。私は何をするべきかという問いでは——あるいは、私はこの人生をどう生きるのかという問いでも同じだが——この問いを独力でみずからだけに向けて提起する、ひとりの「私」とひとつの「生」が前提とされている。だが、「私」のなかにはつねに他人が住んでいること、生はつねに他の生および他の生活様式と深く結びついていることをわれわれが受け入れた場合、こうした道徳的な問いはどのように変化するのか。パンデミックという状況において、こうした問いはすでに変化を遂げているのか。

この生について語ることは、個々別々の、境界で仕切られた個人の生とその有限性について語ることである、という思い込みを揺るがすのはもちろんむずかしい。誰も私の代わりに死ねないし、誰も私の代わりに洗面所には行けない、というわけである。さらに、何によって人生が生存可能なものになるかは、この生に固有の、他の生には関係のない、個人的な問題であるように思われる。しかし、どうすれば「ある生」は生存可能なものになるのかと問うとき、私は何らかの共通の条件によって人生が生存可能になることを納得しているように思われる。そうだとすれば、私の人生を生存可能にする要素のうち、少なくともいくつかのものは、他人の人生を生存可能なものにする。また、そうであるなら、私は自分自身の幸福の問題と他者の幸福の問題とを完全に切り離すことができない。ウィルスをふまえれば、われわれにはこれ以外の考え方はゆるされない。ただし、ウィルスに関する知に背を向けるなら、もちろんそのかぎりではないが。実際、悪名高い政府の役人はそのようにふるまい、無数の役人以外の人々を仲間に引きずり込んでいる。パンデミックから得られる、それなりに大きな社会的、倫理的教訓があるとすれば、いま述べたことがそれであると私は考えている。つまり、どうすれば人生は生存可能なものになるかという問いは、暗黙のうちに次のことを教えている。われわれの営む生は自分だけの生ではない。生存可能な生をもたらす条件は、たんに私のためだけでなく、より包括的に、様々な生と生のプロセスのために確保されねばならない、と。たとえば、私の身体を概念的に表現する、あるいは私という個性を前提とする、私有財産というカテゴリーを採用した場合、そうした条件は把握できない。「私」という存在はある程度「われわれ」でもある。生がもつこの二つの意味のあいだに緊張関係があるとしても、そうなのである。この生こそが私の生であるとするなら、そう思えなくもないし、アイデンティティの論理は「私は私である」という同語反復の力で反論を抑え込んでいる。だが、私の生が完全には私のものではないとすれば、生がわれわれの共有する条件および道のりに付けられた名前であるとすれば、生とは、私が自己本位を失う場所、身体への具現にともなう多孔性という性質を発見する場所である。実際、「私の生」というフレーズには、二つの方向性を引き寄せる力がある。ひとつは取り換えのきかない、単独的なこの生。もうひとつは人間の、共有されたこの生である。後者は動物にも共有された、また様々なシステムや生のネットワークにも共有された生である。私は生のプロセスが持続し他者が生きることを要求するが、それは、そうしたプロセスや他者がなければ私が存在しないことを意味する。この生には、私がそれを生きはじめる前から他者の生が密集している。私が生きるためには、そうでなければならないのだ。他者は私に先行する。他者はある程度、私を予期している。他者による供与と早くからある他者の影響――いうなれば、愛情に満ちた侵害――は、ゆくゆくは「私」と呼ばれることになるこの人間を形成しはじめる。それゆえに「私」が存在するために必要不可欠なのは、他者の支えと寄り添いであり、生のプロセスであり、人間が生き物として依存し必然的に結びついている社会的制度である。こうした他者の欲望と活動――私をあやつる、あるいは無視する他者の流儀――によって私は活動を開始し、かたちをあたえられる。欲望と活動力をもち、世界との関係を構築し、喜びと苦しみをもたらし、損害を受け、回復を求める人間、私をそうした人間として印《しるし》付け、確立するのは、この他者の欲望と活動なのだ。私は他者に触れられ、あやつられ、支えられなければ存在しえない。また、私が他者に触れ、他者をあやつり、他者を支えるには、そもそも私自身がこうした実践のきびしい試練のなかで形成されていなければならない。しかし、接触という条件が失われるとき、何かを受け取り何かをする能力が時間をかけて多層的に形成される、そうした生き物としてのわれわれを支える要素に対する基本的感覚もまた失われてしまう。

ウィルスの蔓延によって生命と生活の条件がむき出しの状態になっているために、現在われわれは、われわれと大地との関係を、またわれわれのあいだの相互関係を、持続的に理解する機会を得ている。つまり、自分たちを私利の追求にかられた孤立した存在としてではなく、生きた世界において複雑に結びついた存在として理解する機会を得ている。ここでいう生きた世界は、われわれがその世界の破壊、計り知れない価値をもったものの破壊——悲劇的なものの感覚の最終段階——に逆らって集団的に戦う決意をすることを要求する。

第二章　パンデミックにおける権力 ——制限された生活をめぐる省察

では、われわれはいかにして、相互依存、絡み合い、多孔性といった身体的な関係について再考することができるのか。身体的な相互依存という文脈をふまえて、われわれのいう社会的平等および不平等について再検討する方法はあるのか。身体的な相互依存という観点から平等について再考するとき、どのような変化がもたらされるのか。環境破壊と近年注目されている制度的な人種差別とを念頭においたとき、われわれはこう問わざるをえない。社会性と生存可能性という重なり合う厄介な感覚によって、いくつかの重要な政治的概念の見直しが可能になることを、われわれはうまく説明できるだろうか、と。

私は先にムベンベを参照しながら、世界と地球の区別について簡単にふれ、こう示唆した。地球が荒廃すれば、呼吸の場である共通世界を想像できるようにするための、地球レベルの戦略が必要になる、と。最近ではパンデミックと気候変動の関係が注目されている。気候変動によってパンデミックが起こりやすくなると主張するひともいれば、気候破壊に対抗するためのなんらかの教訓をパンデミックから得られると示唆するひともいる(1)。

生と労働の気候環境

パンデミックは気候変動の直接的あるいは間接的な効果なのかという問題には立ち入らずにいうが、私はパンデミックというグローバルな状況を気候変動のなかに位置づけることが急務であると信じている。というのも、パンデミックと気候変動を通じて、グローバルな依存関係は生死の問題として浮き彫りになるからである。この議論にわれわれがどんな世界感覚を持ち込もうとも、それは少なくとも部分的に、この継続する環境破壊の問題の影響を受けている。これは、われわれがパンデミックにおいて、環境的人種差別のただなかに生き、その条件の内部で生きていることを意味する。貧しい地域における危険な水、収入の不安定な多くの人々が強いられる立ち退きの増加は、それをよく表している。空気、水、住居、食べ物との関係——これは気候変動と制御不可能な資本主義のもとで、すでに妥協を余儀なくされているが——は、パンデミックの状況ではよりいっそう痛切に銘記される。気候変動とパンデミックは二つの異なる状況であるが、目下のところ両者はひとつにつながっており、勢いを増している。この構造は消えなかった。それはむしろ強化された。なるほど、人々の移動と経済活動が停止すれば、海と空気は長引く環境汚染から回復することができる。だが、その一方でわれわれは、生産活動が再開するまえに、環境の再生あるいは修復がとりうるかたちをほんの束の間、経験したにすぎない。にもかかわらず、パンデミックは明らかにしたのである。生産が縮小されれば、旅行が抑制されれば、二酸化炭素排出とカーボン・フットプリント〔製品の生産・廃棄過程で排出される温室効果ガス〕が削減あるいは根絶されれば、自然界がいかに再生に向かうか、ということを。

理想をいえば、私は相互連関というわれわれの生の特徴と、根源的平等の原理によって世界を構成するというわれわれの義務——保健医療をその要素としてふくむ——とを結びつけたい。ロックダウンにあわせて構成された経済をもとのように開放するか否か、行動制限が一年以上しかれている地域で「世界を再開する」か否か、という問いかけは、経済活動を再開しても多くのひとは病気にならず死にもしないという前提に立っている。二〇二二年の春、各国政府のなかには、パンデミックは終わったと宣言した、あるいは、あらゆる予防措置は不要だと主張したところがあった。たとえば、ボリス・ジョンソンの英国政府はその最たるものであった。

しかし、そうした決断は、孤立する責任あるいは命を落とす責任をみずから引き受けねばならない、不要とみなされた人々を生み出す。そのなかには、自己免疫疾患、糖尿病、肺疾患をかかえるひとたち、年齢やワクチンの利用状況が原因で抗体を十分にもたないひとたちが含まれる。マスク着用や一時的な閉じこもりを有効な対処法として認めない態度は、なかには病気になり死ぬひともいるが、それは経済を開放し成長させるためには小さな犠牲である、という前提に立っている。もちろん、経済を開放しておくことは重要である。とりわけ、貧しいひと、あるいは、無職になって困窮するリスクや借金生活を送るリスクのあるひとにとっては、そうである。だが、そうしたひとたちにとってのリスクとは何であるのか。実際、多くの労働者は現在、次のような問いに直面している。「生計を立てる」ことによって自分が死ぬことになっても、私は「生計を立てる」ために働き続けるのか。労働が生きるために必要なものであるとしても、これは労働か死かという問題ではない。労働の結果としての死という問題である。この矛盾はマルクスがそのむかし指摘したものである。だが、マルクスにとって問題となる状況は資本主義であって、パンデミックではなかった（とはいえ、彼の仕事の背景には、多くの場合パンデミックが存在しているが）。資本主義のもとで労働者は、労働者本人とその家族の生計を支える賃金を得るために働く。しかし、労働者の健康が保証されない状況で働くことで、労働者は命を危険にさらす。そして疲れ切るほど長時間働くことで、労働者は怪我をしたり病気になったりし、労働者として使い物にならなくなり首になる。いいかえれば、そうした状況で働くことによって労働者は働けなくなり、自分と（扶養）家族が生きていくための糧《かて》を得られなくなる。要するに、働くことによって労働者は、生存可能な生活の条件を得るのではなく、むしろ死に近づく、あるいは実際に死ぬのである。マルクスによれば、この矛盾の解決策は資本主義の終焉以外にない。現代では、この矛盾の解決策は年収保証しかない。実際、収入が保証されれば、労働者は、生きるために危険な状況で働かねばならないという苦境に直面せずにすむだろう。不安を抱えて生きることは、生存可能な人生ではない。これは、公平にあるいは生命維持のために組織された共通世界ではない。

パンデミックは二つの文脈のなかで起こる。ひとつは気候変動と環境破壊。もうひとつは、これが大部分を占めるのだが、労働者の命を使い捨てにし続ける資本主義という条件である。マルクスが労働者の生死をかけた闘争について分析したときといまとでは、時代が違う。現代は、職場の福利厚生において健康保険や安全基準がある。だが、大多数のひとは健康保険を適用されないし、保健医療を確保する努力は失敗に終わりがちな闘争である。それゆえに、われわれが合衆国において、たとえば、誰の命がパンデミックによってもっとも危険にさらされているのかと問うとき、答えはこうなることがわかる。それは貧しい者、黒人コミュニティ、最近入国した移民、収監されているひと、高齢者である、と。商業活動と産業活動が再開される

——あるいは、めまぐるしく始められたり止められたりする——なかで、多くの労働者をウィルスから守る方法はない。保健医療に縁のなかった人々、あるいは人種差別によって不利益を被った人々にとって、かつては治療可能であったはずの病気は「前提条件」となり、これらの人々は病気と死に対して以前にもまして無防備になる。少なくとも二〇二一年夏の時点で、ワクチン接種が一度も行われていない国がいくつかある。その多くはアフリカに集中している。ブルンジ、タンザニア、コンゴ民主共和国、ハイチにおけるワクチン接種率の悲惨なまでの低さは、このグローバルな不平等を反映している。

「経済の健康」は「人々の健康」よりも重要であると信じる者は、ひとの命より利益と富のほうが最終的に重要であるという信念にしがみついている。リスクを数値化する者、死なざるをえないひとが一定数いるとわかっている者は、暗黙裡にあるいはあからさまにこう結論する。経済のためなら、ひとの命は犠牲になってもしようがない、と。なかには、パンデミックの期間を通じてこう主張するひとたちもいた。貧しいひとたちのために、産業界と職場は制限しないでおくべきだ、と。だが、職場——ここは感染率がもっとも高い場所である——において犠牲となる命が貧困労働者層《ワーキング・プア》のそれであるなら、われわれはマルクスが約二百年前に説明した根源的な矛盾に連れもどされる。(2) われわれは貧困労働者層の生活を維持するために経済活動を自由にする、あるいは自由なままにしておく。だが、貧困労働者層とは、経済活動を自由にすることでその命が使い捨てられる運命にある人々、代わりの労働者にもできる仕事をしている人々、掛け替えのない無二の命をもっているとはみなされない人々のことである。いいかえれば、パンデミックの状況下で労働者は生きるために仕事をするが、仕事によってまさに労働者の死は早まるのである。労働者は、自分が使い捨てられる存在であること、替えの利く存在であることに気づく。この〔貧困層のために経済を自由にするという〕論理によれば、経済の健康は労働者の健康よりも重要である。それゆえ、資本主義にそなわる昔からある矛盾は、パンデミックという状況下で新たなかたちで現れる。

二〇二一年、政策立案者たちは経済活動の再開にともなうコストを予想していた。そのとき、彼らにはわかっていた。再開すれば、多くのひとが死ぬであろうが、病気と死の危険に不当にさらされるのは、十分な保健医療を受けられない人々であり、さらには、働く以外に選択肢のない人々である、と。あるいは、それは収監されているひとや国境付近に留め置かれているひとのことでもある。彼らは自力で移動できないし、自力で他者から離れることさえできない。ソーシャル・ディスタンスはひとつの特権である。誰もがそうした空間的な状態を確保できるとはかぎらないのだ。多くのひとが密集して暮らす施設では、健康を維持するための条件が整えられていない。合衆国の黒人やヒスパニック系のひとたち、そしていたるところにいる貧困者が死亡率のもっとも高い人々となるなかで、構造的な人種差別のかたちがはっきりする。われわれは数値化の試みを目の当たりにする。死亡者数はどこまでゆるされるのか、と。誰の命なら失われてもかまわないのか。守る価値があるとみなされたことのない命とは、そもそも、誰の命であったのか。

多くの黒人およびヒスパニック系の人々のコミュニティが満足な保健医療を失う、あるいはその欠如に苦しんでいるまさにそのときに、〈ブラック・ライヴズ・マター運動〉の核にはこれらの問いかけがあった。合衆国では警察に殺された黒人の長いリストに日々新たな名前が付け加えられていくが、ジョージ・フロイドの殺害はそれとあいまって、すでに広がっていた危機感を変化させ、増幅させた。その理由は、彼が野蛮な警官隊によって消された黒人の命のひとつであったからだけではない。彼の殺害の悲惨な光景が、白人の優位を誇示する破廉恥な行為、明らかに携帯電話のビデオで撮るためになされる私刑《リンチング》の復活でもあったからだ。それは相変わらず絞首刑であり、背後からの首絞めである。黒人が受ける集団的なトラウマを、世代間にわたるものにせよ、現在のかたちのものにせよ、軽くみることはできない。とりわけ、保健医療が不適切である、あるいは利用できない、あるいは与えられていないことが原因で多くの黒人の命が COVID-19 の犠牲となる現在にあっては、なおさらである。有色人種コミュニティにおける不当な死者数は、警察暴力による死者数にくらべてより普遍的に、崩壊した野蛮な保健医療制度に内在する制度的な人種差別を物語っている。治療され救済されるはずであった、またそうされるべきであった命が失われたことを嘆き悲しむコミュニティは、黒人の身体に対する警察暴力に苦しむコミュニティでもあるのだ。ミシェル・フーコーは、他人の命を奪うことと他人が死ぬのにまかせることとは違うと考えた。そうだとすれば、われわれはここで気づく。命を奪う警察暴力は、死を放置しておく医療システムと結びついて作用しているのだ、と。この二つを結びつけているものこそ、制度的な人種差別である。

私は、両者が対立関係にある災難であるとは思っていない。それらは結びついている。制度的な人種差別は、黒人およびヒスパニック系の人々のコミュニティを衰えさせる保健医療制度において具体化されているが、その原因は、保健医療をあらゆるひとが当然要求できる基本的な公共の福祉として確立できていないことにある。黒人とヒスパニック系の人々は、金持ちが家にいて商店に行かずにすむようにするサーヴィス産業に従事することを求められるが、その原因は、労働条件が危険極まりないときでさえ――労働者が経済的困窮か重い疾患かという選択をしないですませるための国民所得保障によって、これに対処すべきときに――みなに賃金労働への従事を要求する制度《システム》にある。

パンデミックは平等をもたらす大きな力となる、つまり、パンデミックはよりいっそう実質的な平等とよりいっそう根本的な正義を想像するきっかけとなると、われわれはほんのいっときではあれ考えたわけだが、それは間違いであったかもしれない。それは完全には間違いではなかったが、とはいえ、われわれには自分たちが想像した世界を生み出す準備ができていない。ひとつの問題は、世界をつくり直すという理想に燃える野心が、世界を白紙状態、新たなはじまりとして前提としつつ、この新たなものが重厚な過去をともなうものなのか、この新たなはじまりが実際に過去から断絶するのか、あるいはその可能性があるのか、を問わないことである。これよりも明らかに深刻な、もうひとつの問題は、公的言説の主流において世界がまたたくまに経済に取って代わられたことである。「経済の健康」は「人々の健康」よりも価値があり急を要すると理解されていた。実際、経済に健康な状態があると考えることによって、経済は人間のからだ、ひとつの有機体とみなされた。つまり、経済の生命と成長は、人間の死をふくむいかなる犠牲を払っても支えられねばならないと考えられたのである。だが、経済に健康を移植することは、たんに人間の性質を市場に移すことではなかった。それは経済の健康を確立するために身体の健康を奪い取るのである。それは、パンデミック時代に表面化する資本主義の論理が内蔵する、きわめて有害な置換と転倒であったし、いまもそうである。

ひとにたとえられた経済の健康が、労働者、マイノリティ、貧者——すなわち、健康においてすでに妥協を強いられている者たち——の健康を犠牲にして成り立つとすれば、経済の「健康」という比喩は、経済をある種の生物として表象するなかで、そうした者たちの身体の「命」をたんに借用するのではない。それはその命を奪う。その命を枯渇させる。それはそうした者たちの命を犠牲にする意志を表している。その意味で、それは命を奪う比喩なのである。費用便益モデルによる経済の数値化がまやかしの慰めをもたらすのは、それによって身体の健康と命が、数、パーセンテージ、統計曲線グラフに置き換えられるからである。しかしながら、数、パーセンテージ、グラフは生きた身体の単純な表象ではない。それは、少なくともこの文脈においては、生きた身体を消去する手段となる。グラフや数は、死者がどれだけ多いか、あるいはどれだけ少ないかを示すものとされている。統計曲線が横ばいになることは、よろこばしいことだと想定されている。なぜなら、亡くなるひとの数はいまやそれだけになったからであり、それは一見するとよいニュースであるからだ。それは現在、市場経済を再開させるための口実となっており、コロナウィルスとその新種が新たな突起《スパイク》を獲得する原因となっている。この意味で、生死を表象しているとされる統計曲線グラフによって、生命は危険にさらされる。市場の合理性にとって都合のよい統計曲線によって確立されるのは、妥当なものとして受け入れられる病気と死亡の水準、適切な死者数、横ばいのグラフの適切な伸び方、われわれが受け入れるのにやぶさかではない死者数を定めた基準である。ひとつの表象形式としてのグラフは、そうした死をいわば無菌化する。あるいは、そうした無菌化のアレゴリーとなっている。これもまた、死政治的《ネクロポリティカル》な計画に資する隠喩作用の一例である。これがきわめて鮮烈なかたちで例示しているのは、資本主義という機械の心臓部に息づく死の欲動であるかもしれない。だが、それは、死政治的な計画とは別のプロジェクトである。

安心してほしい。私は、生きた身体には表象はいらないと主張しているのではない。また、われわれにはグラフは必要ないと主張しているのでもない。明らかにグラフは必要である。身体の命は実のところ、生きるために何が必要かを教えてくれる様々な表象に依存している。しかし、次の問いは残る。どの表象が役に立つのか。私は、数字は身体を殺すといっているのではない。そうではなく、数字は、身体の否認としての無菌化によってみずからを再生産する暴力の動きを、まさに表している。仮に世界が経済に置き換えられたら、そして仮に経済（市場経済と金融市場からなると理解される）が健康危機にあえいでいると理解されたなら、仕事にもどること、ビジネスのために経済を再開すること、教会とジムにひとをたくさん入れることは、われわれの果たすべき責任となるだろう。たとえそれが、ウィルスの蔓延と、健康を損なう、あるいは命を失う人々の増加を明らかに意味するとしても、である。ここでの恐るべき暗黙の前提は、働く身体が、家のないあらゆる人々と同様に、あるいはブルジョア家庭とは違って敷地境界線のない、ドアも閉まらない家に住むあらゆる人々の命と同様に、使い捨てられるということである。病気と死――自分自身のそれにせよ、見知らぬ他者のそれにせよ――に向かって近づきながら自分は自由を享受していると考えるあらゆる人々の命が、使い捨て可能なものであること、それがここでは表立って語られていないのである。では、世界を経済の手から奪い返すことは可能だろうか。市場の再起動と世界の作成とを分離すること。それこそが、世界の前途有望な作り直しにむけた第一歩となるであろう。

　われわれがここに来て、これまで以上に明確に、そしてこれまでとは異なるレンズを通して、理解できるようになったことがある。それは、現象学者のいう「生活世界」には、生きる者たちのあいだの解消不可能な不平等がつねに組み込まれている、ということである。命のなかには、是が非でも《アト・オール・コスツ》「どんなコストをかけても」死から守らねばならないものもあれば、守るに値しない——コストをかけるに値しない——とみなされるものもある。

生活世界の未来

　生活世界という概念によって、次の二つの問いをひとつにまとめる道がひらけてくる。どうすれば人生は生存可能なものになるのか。居住可能な世界は何によってつくられるのか。緊急避難的に家に閉じこもる状態のなかで、われわれは、ひととのふれ合い、身体的な接触、会合、等々がないのは耐えられないと感じたかもしれない、あるいは、いまも感じているかもしれない。しかし、われわれは命を守るために、実際はこうした喪失に耐えている。そうするのは、自分を守るためだけではなく、自分が他者を感染させてしまう可能性を自覚しているからでもある。われわれは、他者から感染したり他者を感染させたりするという、いわばそうした力と方向性が作用する倫理的な空間に生きているのだ。この状況によってわれわれは、自分の一部分をたえず他者に与えている存在、ゆえに当然のことながら他者の一部を受け取っている存在として確立される。

ウィルスが空気を介して広まることが理解されていなかったパンデミックの初期、われわれは世界の表面を恐れていた。われわれは、世界の表面、たとえば、われわれの触れるハンドル、われわれの開ける包装が共有されたものであることを自覚したのかもしれない。われわれはいたるところに、たがいの手のなかに、存在している。これは、パンデミックの状況ではわれわれの社会生活の条件自体が死を招くものになることを意味する。たしかに、一時的な停止状態にある世界の様々な部分は、閉じこもり状態のなかに入り込んでくる。たとえば、電話やインターネットを通してやり取りされる、愛とサポートの言葉、芸術、笑いなどがそれである。こうしたつながりは非実体的《ヴァーチャル》であると同時に本能的であり、命を支えるものとして軽んじるべきではない。だが、われわれの存在そのものであるこの倫理的な力と方向性は、よりひろい規模の問いを提起する。自分が他者に与えている影響、あるいは他者が自分に与えるかもしれない影響に関するわれわれの認識が、いかに不完全なものであるか、と。身体に具現したこの自己は社会的に位置づけられ、みずからの外にある環境のなかにすでに置かれ、他者に影響を与え且つ他者から影響を受ける状態にあるので、われわれはもはやたんに自己利益にそって行動することはできない——これは明らかなように思われる。あなたの生が私の生と密接に結ばれ、私の生もあなたの生と密接に結ばれているのだから、私の利益は結局のところあなたの利益なのである。これはパンデミックの状況下でのみいえるのではない。われわれの生がかたちづくられ意味づけられる場である、相互依存的な交際の世界においていえることなのだ。というのも、われわれは世界の表面と物を共有しており、他者はわれわれのあいだをときには無自覚に通り過ぎるからである。だから、あなたが触れたものは、つねにとはいえないまでも、私に触れる。私はある表面に触れることで、潜在的に他人に触れているのだろうか、それとも触れられているのだろうか。あなたが私に影響しているのか、それとも私があなたに影響しているのかは、はっきりしない。そのとき、その影響する／影響されるという対立が、感染させる／感染させられるという対立の一形式であるかは、あなたにも私にもわからない。身体間の相互関係について考えるとき、われわれはたんに、他から孤立した状態にある個々の身体について語っているのではない。かといって、単純な相互関係について語っているのでもない。われわれの関係を媒介する大地、空気、食物が存在するのであり、われわれはたがいに切っても切れない関係にあるのと同様に、こうした領域とも切っても切れない関係にあるのだ。

すでに述べたように、メルロ＝ポンティの死後出版された触知性をめぐる思索は、「絡み合い［*entrelac*］」という比喩をよりどころにしている。(3) 彼はいう。われわれは、ある対象に触れるとき、触れている自分自身に対しても意識的になる。触知可能な世界、つまり、われわれの触れる世界のあらゆるものは、われわれによって触れられるという事実によってつねにある程度規定されている、と。と同時に、触知可能な世界はわれわれの触覚を超え出ており、触知性の一般的条件をつくり出す。この過剰性が認識されるのは、触覚そのものにおいてである。このように、自分自身をなにかに触れる能力をもった存在としてとらえるためには、世界の触知可能な対象が必要である。われわれはたがいに接近して触れ合うとき、誰が誰に触れているかをつねに認識しているだろうか。「われわれはたがいに触れあった」といういい方があるが、これは感情的あるいは身体的な遭遇を伝えているように思われる。私の手が他人の手に触れるということは、私の手が他の身体の表面――この表面はそれ自体活気があり且つ他の身体を活気づける――によって触れられるということである。これは要するに、自分に感受性があると考えるか否かに関係なく、他者もまた私に触れるということである。もちろん、感受性は受動性と同じではない。しかし、そうとは思えないほど両者はしばしば融合する。さらに、能動性と受動性が絡み合っているとすれば、活動と感受性は水と油の関係とは違う論法で考えられねばならない。スピノザのひそみに倣っていえば、感受性の潜在的な力が強まれば強まるほど、活動の力も強まるのである。[4]

絡み合いということの概念によって、次のような基本的な問いが必然的に再構成される。私は主体なのか、客体なのか。それともその両方なのか。身体を触知可能な世界にしばられたものとして理解することによって、どのような違いが出てくるのだろうか。メルロ＝ポンティが指摘しているように、他人に触れることが自分に触れる経験、あるいは接触部において自身の皮膚を意識する経験でもあるとすれば、この触れる／触れられるという場面と、自己の触知性〔自己が触知可能なものである〕という感覚とを分ける方法はあるのだろうか。いいかえれば、能動的に動くことと受動的に受け取ることとの区別はあいまいであり、そのあいまいさが、自己に対する身体的で触覚的な感覚の特徴なのだろうか。ひとはなにかを触るとき、自己についての問いを提起する。この触覚をおぼえる瞬間、私は誰なのか、私は何者になるのか。あるいは、マリア・ルゴネスの提起した問いにならっていえば、他者とのこの新しい触感的な出会いによって私は何者になったのか。[5] カミング・アウトの当事者であるティーンエージャーであれば誰しも、この実存的／社会的な困惑がまさにそうした接触の時と場において、つまり、通常では完全には予期しえなかったであろう身体的近接や心理的親密さにおいて生じることを知っている。身体という穴だらけの境界によって外部との関係の回路が定まる以上、これこそが触知性のはたらき方なのだと、メルロ＝ポンティは語る。われわれは影響を与えようとしている対象から逆に影響を受けるのであるから、能動性と受動性を相容れないものとして区別することはできない。ここでもアリストテレスの哲学は歯が立たないのだ。

なぜシェーラーとメルロ＝ポンティを、私がしているように結びつけるのか。シェーラーにとっての悲劇の定義、すなわち価値の破壊は、本当にこんにちのわれわれに訴えかけるものなのか。悲劇的出来事によってとがめられる、あるいは暴露される世界という考えは、いまのわれわれが自分の生きざるをえない世界の枠組みを理解しようと努めるときに参考になるものなのか。この世界は居住可能な世界なのか。居住可能だとすれば、それは誰にとってそうなのか。また、どの程度そうなのか。価値――たとえば、生の価値、大地の価値――の破壊によって世界が悲しみに沈むとき、何が起こるのか。他人との接触を失うとき、あるいは他人の息づかいをほとんど思い出せなくなるとき、何が起こるのか。そのとき、われわれは何者であるのか。いや、むしろこういうべきだろう。居住ということが依然として可能であるとして、われわれがそのとき住んでいる世界はいかなる世界なのか。おそらく、主体を中心に据えた世界観の失調によってもたらされるのは、いまとは違う世界創造――つまり、多くの人間的および非人間的な生命の活動を必要とする、呼吸し触覚を有する生き物として、空気と大地、建築的な閉鎖空間、せまい通路からなる世界のなかで生きる別の方法――という希望あるいは約束の予兆であろう。

メルロ＝ポンティは、人間の身体は他の対象や事物とは異なるかたちで時間と空間のなかに分散されていると考えた。しかしながら、彼は次のことを考慮しなかった。それは、対象と事物は自然史――これはテオドール・アドルノの用語である――、労働および消費の歴史、市場価値による媒介、この三つをともなっている、ということである。(6) とくに天然資源を利益目的のために収奪する採取主義《エクストラクティヴィズム》について考えてみれば、これが正しいことがわかる。客観的世界――環境、天然物資の複雑な価値、広範囲に組織化された経済的、社会的現実――を参照せずに主体間の関係を体系的に記述すれば、その関係が生み出す価値もそれが破壊する価値も理解できなくなる。居住可能な世界という概念の範囲が環境毒素の効果や呼吸に適した空気にまで及ばないなら、世界の地平の一部としての気候という考え方そのものが失われてしまう。さらに、こうしたことを参照しないと、うまく生きる方法や、地上に住むあるいは居住可能な世界をつくる最善の方法がわからなくなる。生存可能な状態で生きるためには、居住可能な状態のままにある世界に住む必要がある。物＝対象はこうした問いについて考える際の指針を、主体性あるいはその一種である間主体性だけに注目する場合よりもおそらく明確に与えてくれる。メルロ＝ポンティにとって、私とあなたという対関係を規定すると同時に凌駕するのは、触知性そのものや言語だけではない。呼吸可能性〔呼吸しやすさ〕――空気の社会的性格――もまた、ここに付け加えてよいだろう。

科学は物によるウィルスの伝播を認めてこなかったが、たとえそうだとしても、ウィルスの伝播性の高まりと物の世界との関係を理解するためには、これまで以上に念入りに後者に注目する必要があるかもしれない。結局、社会的な形式としての物は、社会関係の束によって構成されている。それは、生が社会経済レベルで統一的に編成されるなかでつくられ、消費され、分配される。この一般的な真理は、パンデミックという状況下において新たな意味をおびる。食べ物を配達するひとは、宅配業者から食べ物を受け取るひとよりもウィルスにさらされやすくなるかもしれないのに、なぜこの状況下でも働いているのか。この問いの恐ろしさは、もちろん、ワクチン接種をしていないひとにとってさらに大きくなる——ここでは未接種の理由が自己選択か、ワクチン接種の機会に恵まれていないか、ワクチンでは予防できないほど自己免疫が強いかは関係ない。労働者が直面している選択は、病気になりその結果場合によっては死ぬリスクを冒すか、それとも仕事を失うか、というものである。ウィルスはそれに感染する身体だけに帰属しているのではない。われわれは「誰それはウィルスを持っている」というが、たとえそうだとしても、ウィルスは所有物でも性質でもない。所有物というモデルは、ウィルスを理解するうえで役に立たない。むしろウィルスのほうがひとを所有しているようにみえる。ウィルスはどこからともなくやって来て、ひとを捕らえる。接触や呼吸を通じて粘膜や人体の開口部に移り、身体に寄生する。そのときウィルスは身体に潜伏し、細胞に侵入してみずからの複製を指揮し、その巻きひげ状のものを広げる。その結果、ウィルスは空気中に放出され、ことによると他の生き物に入っていく。ウィルスは付着し、多孔性という特徴をもつ身体に入り込む。そして別の身体に付着するためにそこから離れて新たな宿主――皮膚、鼻孔、身体の開口部――を探す。ロックダウンが厳格化したとき、人々は親密な接触、差し向かいによる空気感染を恐れていたようにみえる。いまでは（これを書いている時点では、オミクロン株あるいはデルタ株が猛威を振るっている）、手で触れた物を通じた感染よりも、対面での出会いを恐れているひとのほうが間違いなく多い（とはいえ、物の表面や衣類・寝具に関する研究にはいまなお驚かされるが）。実際、いまや飛沫感染はウィルス伝播の主要形態であるようにみえる。(7) われわれが日常生活において他者との近接を完全にコントロールする状態にあることは、めったにない。その意味で社交の世界は予測がつかないのである。物および他者との望まない近接は、公的生活の特徴であり、公共交通機関を利用し混雑した街路を移動するひとにとっては普通のことであるように思われる。われわれはせまい空間でぶつかり合い、話をするときは手すりや他人に寄りかかり、行く手をふさぐものには何でも触れる。いろいろとやり取りをしなければならない赤の他人、世界の共有空間で生活し移動する赤の他人に近づくこともしばしばである。しかし、偶然の接触や出会いという状況、たがいに軽く接触し合うという状況は、その接触によって罹患の可能性が高まるとき、そしてその罹患が死のリスクをともなうとき、致命的な結果をまねくおそれがある。こうした状況下では、われわれに必要な物や他者は、われわれの生にとって潜在的には最大の脅威であるようにみえる。周知のように、この逆説が続くなかで生きるのは不可能に近い。

しかしながら、われわれはパンデミック期にこう自問した。隔たりと孤立、労働の禁止あるいは制限、借金および死の恐怖、等々を構成原理とするこの世界で、われわれは生きることを望むのだろうか。そのような世界は居住可能な世界なのだろうか、と。たしかに、われわれはウィルスの勢いが最大レベルになった状況で会社とコミュニティを維持する方法、仮想的な手段によって本能的なつながりを活気づけ、本能的な手段によって仮想的なつながりを活気づける方法を発見した。だが、パンデミックのどの局面にも、根本的な不平等という問題がとりついている――誰の命に命としての価値があり、誰の命にそれがないのか、という問題が。抽象的な哲学的問題にみえるものが、社会的、認識論的な緊急事態から、つまりある種の危機から発生する問題であることが判明するのだ。世界が居住可能なものになるためには、生きたいという欲望はもちろん生の条件もまた世界によって支えられねばならない。実際、ひとの命つまり友人、家族の命や、大地を共有する人々全体をかくもたやすく粗末にする世界に、誰が住みたいと思うだろうか。こうした世界に住むことは、命、生活形態、生活環境をいともたやすく破壊する権力と戦うことである。そうした権力の蛮行に対抗するには、ひとりの力では無理である。それには、新たな生活条件と欲望の時空間の再構成とに備えて支援のネットワークをひろげながら、つまり新たなかたちの共通生活《コモン・ライフ》と新たなかたちの集団的価値観、集団的欲望とを実践しながら、一致団結するしかない。そして、生が生存可能なものになるためには、生は身体に具現しなければならず――いいかえれば、空間を居住可能なものにするあらゆるサポートを必要とし――、生きるためにひとつの空間、住まいを必要とする。したがって、住宅および利用可能なインフラは、生存可能な生のための本質的な前提条件なのである。だが、そうした空間は家や家庭だけに限られない。職場、商店、街路、野原、村落、大都市、交通手段、公共の保護された土地、公共の広場もまた、その空間に含まれるのだ。

ワクチン接種の機会が資金的余裕のある国や非特許ワクチンを製造できる国で増えるにしたがって、金融市場は案の定、あれやこれやの製薬産業の将来に投資しはじめている（パキロヴィッドのような抗ウィルス薬が広まり使用されるようになれば、間違いなく状況が変わると踏んでいるわけだ）。ワクチンのグローバルな分配の特徴である根本的な不平等をみると、パンデミックを終息させる努力はグローバルな不平等を克服する闘争と連動しなければならない、ということがわかる。ひとが世界の遠く離れた場所にいる見知らぬひとのために保健医療の権利を擁護する、しかも自分の隣人や恋人の場合と同じように熱烈に擁護する、そんな世界を求めてわれわれは闘争しなければならない。それは無分別な利他主義にみえるかもしれない。だが、いまはおそらく、分別という考え方自体に浸透している偏狭なナショナリズム的傾向を解除するときである。世界保健機関〔WHO〕の事務局長、テドロス・アダノム・ケブレイェソスは「世界」を基準とする倫理的指針を定め、その概念が今後の倫理的反省の核になるだろうと示唆した。「守られるひとがいる一方で守られないひともいる世界、そうした世界は誰にも受け入れられない」[8]。彼が求めていたのは、ナショナリズムの終焉であり、ボーダーラインと利益を示すことによってどの命が他の命より守るに値するかを算出する市場的合理性の終焉であった。だが、彼はこうもいっていた。他人から感染する／他人を感染させるひとが存在するかぎり、ワクチンは配布され続けるだろう。つまり、すべてのひとが安全になるまでは誰も安全ではない、と。かくして、この比較的単純な疫学的真理は、倫理的な命令と一致する。この二つの見方から帰結するのは、グローバルな規模の協働と支援であり、それによって保健医療の、生存可能な生の、平等な獲得を確実なものにすることである。これを実現するためには、この世界はいかなる世界なのかという問いの可能性に注目し、そこから別の問い、われわれはいかなる世界に住むことを望むのかという問いを引き出さねばならない。私は、どうすれば生は生存可能なものになるか、世界は居住可能なものになるか、という問いには答えていない。だが、私のたっての願いは、そうした問いを未解決のままにし、議論の余地を残すのに一役買うことなのだ。とはいえ、私自身の考えをいうなら、われわれの生きる生活世界は、あらゆる生き物の生活条件が確保される世界であらねばならないし、そこでは、あらゆる生き物の存続と生存欲求が平等に尊重されるべきである。疫学者たちはCOVID-19を地方病にすることが現在の問題を解決する方法であると忠告するが、そのときわれわれはこう問わねばならない。そうなった場合にも、世界に住む一部の人々は命を落とさねばならないと想定されるのだろうか、と。命を落とすのは、ワクチン接種を一度もしなかった人々か、ワクチンは有効であるという議論を受け入れなかった人々か、ワクチンの効かない免疫不全状態に属する人々である。多くの人々が生きるために一部の人々が死なねばならないという解決を拒むことは、生きることに対するより根本的な平等性を求めて、無神経な功利主義を拒むことである。それは、そうした功利主義的選択をわれわれに強いる、市場主導の損得勘定に対して批判的に対峙することを意味する。

グローバルな相互依存関係の理に適うことができるのは、グローバルな関与だけである。そうした関与を始めるためには、われわれにとって世界という言葉が意味するもの——居住可能な世界、ひとつの生が別の生につねにすでに巻き込まれている状態として了解される世界——をあらためて理解し直す必要がある。パンデミックの絶頂期では、ともすれば、この相互依存は致命的なものにみえる。実際、それによってわれわれは、自分の身は自分で守るという考えと、家庭にとどまるのが「安全」であるという考え（だが、家庭は女性にとって安全なのだろうか、クィアなこどもたちにとって安全なのだろうか）を強いられるのである。しかし、相互依存は問題解決の糸口でもある。そこには、国際保健（グローバル医療）、平等な権利、無料ワクチン、医薬品による金儲けの廃止といったヴィジョンが含まれている。相互依存は、官能的な喜び、われわれが生きるために必要なサポート、共有された生存可能な世界の創設と維持を旨とする根本的な平等と連帯、等々を生み出す可能性、われわれが手にしているかもしれないそうした可能性でもあるのだ。自分の私的な生活に後退したり、いつになったら世界は活動をはじめ、われわれの普段の活動と人間関係が再開されるのかと考え込んだり、自分の私的利益が損なわれることに意気消沈したりすることはありうるだろう。だが、このきわめて私的な孤立と不満は、世界中で共有された孤立と不満である。一部の人々は熱狂的にワクチンに反対し、結果的に、ウィルスによって自分の命や愛する人の命が奪われるのを目の当たりにする。また、極度のナショナリズム的反応というものもある。それはパンデミックを利用して権威主義的に国家権力を強化する。たとえば、国境を強固にし、監視テクノロジーの利用を推し進め、外国人差別に関与し、異性愛規範に基づく家庭空間を強化するのである。だが、破滅的な不平等と地政学的なかたちの支配がみられる状況において依然として共通世界を求めて奮闘するひとたちにとって、パンデミックは厄介な状況である。新たな感染の波が来る直前にパンデミックの終わりが宣言されるなかで、われわれは、とりとめなく発信され、めまぐるしく変わる様々な将来の展望に執着するからである。

　このパンデミックをどう銘記するかはひとそれぞれだとしても、われわれはそれをグローバルなものとして理解している。われわれは共有された世界のなかに巻き込まれている——パンデミックはこの事実を痛感させるのである。ひとによっては、ナショナリズムをもちあげつつ、グローバルなパンデミックについて愚痴をいうかもしれない。だが、そうしたひとたちの熱狂的な努力は、パンデミック下での関係性がもつグローバルな性質を事実上容認している。人間という生き物がもつ、たがいに影響を与えあう能力は、つねに生あるいは死の問題であるが、これはある特定の歴史的状況においてはじめて明白になるのである。もちろん、これは正確にはわれわれの共有する共通世界ではないし、パンデミックをグローバルなものと認識することは、くだんの不平等に向き合うことである。パンデミックは、われわれのたがいに対する義務と大地に対する義務というグローバルな意識を高めると同時に、人種的、経済的不平等を明るみにし、且つそれを強化してきた。現在は、グローバルな方向に向かう動きがある。それは、免れぬ死と相互依存に関する新しい意識にもとづいた動きであり、気候破壊およびパンデミックという厳然たる現実がもたらしたものである。命に限りがあるということを思い知る経験は、不平等をめぐる鋭敏な意識と結びついている。誰が早死にするのか。それはなぜなのか。生の維持のためのインフラや社会制度が約束されていないのは、誰に対してなのか。

世界共通の免疫危機によって強まった、世界が相互依存的であるというこの感覚は、われわれは別々の身体に覆われ、規定の境界によってしばられた孤立した個人であるという考え方に異議を唱えるものである。ひとつの身体であることは、他の生き物、様々な物の表面、世界の様々な構成要素――一例としては、誰のものでもなく誰のものでもある空気、所有関係を超え所有関係に反して存続する生命の存在をわれわれに思い知らせる空気――と密接にかかわることであるが、これについては誰も否定しようがないだろう。

今回のパンデミックにおいて、空気、水、住居、衣服、保健医療を受ける権利は、個人および集団が覚える不安の発生場所となっている。生活に必要なこうしたものはどれも、気候変動によってすでに脅かされている。ひとが生存可能な生活を送れるかどうかは、人間存在をめぐる私的な問題であるだけでなく、生死に影響する社会的不平等によって誘発された焦眉の経済的問題でもある。すなわち、医療サーヴィス、住居、きれいな水はこの世界の平等な共有を享受すべきすべての人々に行き渡るのか、という問題でもある。パンデミック下において高まった経済的な不安定性《プレカリティ》という状況によって、この問題はさらに切実なものとなる。と同時に、それは、目下進行中の破壊的な気候変動を、生存可能な生を脅かすものとして暴くものでもある。

人間にとっての居住可能な世界の成立は、大地が人間を中心に据えないかたちで栄えることにかかっている。われわれが環境毒素に反対するのは、そうすることで人間が中毒を恐れずに生存し呼吸できるからだけではない。水と空気はそれ自体、われわれの生命に重きを置かない、あるいはわれわれに仕えるのではない、命をもたねばならないからである。われわれはこの相互連関の時代に、硬直した個人主義を解体する。その際、われわれが想像できるのは、人間の世界がこの大地に対して果たさねばならない、これまでにくらべて小さな役割である。われわれのありかたはこの大地の再生に左右されるのだが、ひるがえって、この大地のありかたは、これまでより小さい、より注意深さを増したわれわれの役割に左右される。(9) 居住可能な世界の成立に必要なのは、われわれが大地のあらゆる場所に住まないことである。つまり、人間の居住と人間による生産の限界域を定めるだけでなく、大地が必要としているものを知り、それに留意することである。

第三章　絡み合い——倫理および政治としての

　ここまでの二章では、社会性、相互依存、身体への具現に関係するパンデミックの特徴を浮かび上がらせるために、現象学の伝統に属するテクストを参照してきた。そうすることで私は、現象学が唯一の有効な枠組みであるとか、この時代に関する重要な主張はすべてその枠組みから引き出せるとか主張するつもりはない。私は現象学が有効であると思われる状況において現象学の助けを借りる。そして現象学のいくつかの部分と他の理論による政治的関与とを対話させる。後者にはマルクス、人種差別に対する批判、そして——あとになるにつれて明らかになるように——フェミニズム理論とクィア・セオリーが含まれる。「括弧入れ」の実践をめぐるフッサール自身の省察は、サルトルとメルロ＝ポンティから批判を受けた(1)。両者は、世界を現象学的分析で扱う問題につくりかえるには、世界をめぐる日常的前提のはたらきを一時的に停止する意図的な方法など必要ない、と主張したのである。実際、世界のつくられた構造が突然疑問視される、あるいは開示される、といった歴史的経験は過去にあった。そうした経験は、ひとが無垢の状態で世界にさらされる、屈辱的であるかもしれないし爽快であるかもしれない機会である。フッサールと同時代に著作をものしていたマックス・シェーラーは、悲劇的なものは価値あるものの破壊を示しており、この破壊をきっかけにして世界の構築に関する重大事が露呈されると主張したが、このとき彼が説明しようとしていたのは、世界の構造は認識の枠組みの混乱を通じてはじめて理解されるということである。[2] 世界はひとが思っていたようなものではなかったが、だからといって、この混乱を経たいま世界が完全に失われているわけではない。シェーラーの関心事である価値体系の破壊によって含意されている、あるいはもしかすると告発されているのは、その破壊が可能であることが判明する場としての世界そのものである。そうした可能性は、まるである特定の歴史的時期まで思考の埒外《らちがい》に置かれていたかのようであるが、ひとたび思考可能なものになれば、世界自体の可能性として直観的に理解された。この破壊以前にはそうした可能性が世界に含まれている、あるいは含意されているとは理解されていなかったので、この破壊を経た世界は以前とは異なるものであることが判明する。われわれはそれを、変化した世界あるいは新しい世界と呼ぶこともできるのだが、われわれが世界について、そこではある特定の出来事が絶対に起こりえないという確固たる考えをいだいていた場合、それ〔価値体系の破壊を経た世界〕はまちがいなく、われわれが知っていると思い込んでいた世界とは違う世界である。この出来事〔価値体系の破壊〕は多くのひとに対して、他の破壊的な出来事とは似ても似つかない可能性、既存の世界認識には同化しえない可能性を導入する。この可能性は世界に関する既存の考え方にたんに付け足されるのではない。これが付け足されることによって世界の感覚は変化する。この可能性を既存の世界の一特徴として付け足すことはできないので、世界を新たなかたちで開示する力を豊かに秘めたこの可能性によって世界はひっくり返り、再定義される。この「出来事」――シェーラーの用語を使うなら――によって突如示されるのは、たとえ世界が経験を定義し形づくる地平として当初から存在していたとしても、この出来事以前に世界は知られていなかった、ということである。『遺稿』のフッサールにとって、また、はやい段階からフッサールの学説を解明しようとしたラントグレーベにとって、「世界の観念を形成するには、それゆえに、起こりうる経験の無限性を体系的に構築する必要がある」(3)ということは、覚えておくと有益かもしれない。そういったわけで、世界をめぐるどの概念も、概念の枠にもイメージの枠にもおさまらない無限の可能性によって際限のないものになっているのかどうか、ということが問題となる。地平という概念によって課されたあらゆる限界は、いわば地平を突きぬけそれを超える無限という観点から再考されねばならない。

なぜ現象学なのか、どの現象学なのか

影響と流用の歴史は複雑なものである。メルロ＝ポンティもサルトルも、おもにフッサールのフランス語訳に依拠していた。両者はフッサール哲学の遺産から思想を取り込み、なお且つそれに異議を唱えた。サルトルによる肉への言及は、そっけないが興味深いものであった。だが、彼による身体の分析は、身体をその他大勢の客体のひとつとして定義する傾向があった。身体と意識の区別に依拠するがゆえに彼はそれ以後、デカルト主義者と呼ばれた。それはとうてい賛辞ではなかった。とりわけ、シモーヌ・ド・ボーヴォワールに追随したフェミニストのあいだでは賛辞ではなかった。ボーヴォワールにとって身体は客体ではなく、情況である。そして彼女がこの概念を『第二の性』で導入するとき引用するのは、サルトルではなくメルロ＝ポンティである。(4) 実際、身体への具現という、フェミニズム哲学にとっての問題は、比較的新しい分野である批判的現象学において幅広い学術領域を生み出している。故アイリス・マリオン・ヤングの仕事の重要性は、多くの学者の知るところである。(5) ヤングは、生きた経験における習慣や身振りを政治的枠組みの内側に置いて分析する。ヤングは「女の子のボールの投げ方」がどのように習得されるか、それがいかにジェンダーの必修レッスンになるか、ジェンダーのヒエラルキー構成がいかに運動能力と身振りのレベルにおいて持ち出され再生産される

か、を問うのである。ヤングのポイントは、反復される行為や習慣が身体および世界の形成において果たす役割を、フェミニズムの目的にそって浮かび上がらせることである。彼女の世代に属する他の多くのフェミニスト（私もそのひとりである）にとって現象学は、フェミニストたちが支配と規律の構造を省察しそれを変えようと模索するなかで、その構造を理解するための道を開いてくれる。われわれの導き手であるそうした学問の目的は、生きた経験をめぐる普遍的な説明と、経験の特殊な社会的、歴史的構造とを区別することではない。そうではなく、それはまさに、社会的構造がいかに生きられたものになるか、そしてその構造が生きた存在において身体のレベルでいかに再生産されるか、を示すことである。

フッサールとメルロ＝ポンティがサラ・アーメッド、ゲイル・サラモン、リサ・グウェンザーらの思想形成に影響を及ぼしたことは注目に値する。フッサールは、生きた経験は言葉で記述できる構造をそなえていると考えていた。とはいえ、同時に彼は、生きた経験の特徴である沈殿化によってその経験のあいまいさが生み出されること、そして、生が思考され生きられる場である刻々と変化する歴史的枠組みによって生の可変性が生み出されることも認識していた。フェミニスト現象学者、そして今日の批判的現象学者は、身体に具現した生をその間主観性において理解する的確な方法を現象学から引き出そうとしており、この間主観性のなかには、身体がジェンダー編成、人種編成、階級、社会制度、さらには監獄、等々にまつわる権力に巻き込まれる事態も含まれている。つまり、こうしたひとたちが現象学から引き出そうとしているのは、権力がいかにその支流ともいえる身体の動き、行為、身振り、発話、苦痛、情念、抵抗——これらは問題となる身体の様態のほんの一部だが——において再生産され異議を唱えられるかを明らかにする的確な方法である。

批判的監獄研究の分野でも活動している批判的現象学の主導者のひとり、リサ・グウェンザーによる批判的現象学の説明をみてみよう。[6] グウェンザーは書いている。「批判的現象学によって私が意図しているのは、経験の一人称的な説明に根ざした方法だけでなく、一人称単数は絶対的に間主観性に先立ち、社会生活の複雑な構成に先立つという古典的現象学の主張を批判する方法である」[7]。したがって、シェーラーが批判した超越論的主体は、ここでさらに容赦なくその地位を追われることになる。グウェンザーは監獄ストライキ、とりわけハンガー・ストライキを現象学的に分析するなかで、数年前にパレスチナとカリフォルニアで同時に反抗した、独房に閉じ込められたひとたちに焦点を当てている。[8] その人々は一か所に集まることができなかった。また、そのストライキは刑務作業の停止ではなかった。その人々はそもそも仕事を与えられていなかったのだから。しかし、この人々は、大勢の弁護士やアクティヴィストがいわばメディア・ストライキを準備していたのと期を同じくして、ハンガー・ストライキに打って出た。完全な拘禁状態にあったものの、この人々は協力関係のネットワークを通じてみずからの要求を周知した。そして、残忍で異常な罰としての独居監房に抵抗する力を強めた。また、この人々のおかげで、女性の有色人種アクティヴィストと女性の学者とによって先導された監獄廃止運動、監獄システム全体を制度的暴力として告発するこの運動は、勢いづくことになった。(9)

グウェンザーは現象学と政治がいかに密接に結びついているかについて説明している。

監獄の大量収容の問題は、量刑改革や法改正を通じて解決すべき、あるいは囚人の解放と最終的には監獄の閉鎖によって解決すべきジレンマとしてアプローチできるだろう。だが、大量収容のジレンマを「解決する」こうした方法を採用しても、問題の発生の条件自体は扱えないだろう。これらの方法は実際のところ、投獄の論理をさらに深化させることによって、たとえば、監視や規律的管理といった投獄によらない刑罰形式を拡大させることによって、問題を悪化させるかもしれない。大量収容を問題化するためには、その「まちがい」を把握してそれを「正す」だけでなく、責任と処罰との融合を常態化する、偶発的ではあるが構成力をもった構造を突きとめねばならない。そして、これを行うためには、一部の者にセキュリティと繁栄を約束する一方で他の人々を包摂し管理し国家暴力のえじきにする監獄的権力のネットワークのなかに身を置き、それと関係しなければならない。(10)

ここでは「自然化」――行為や身振りが常態化し、当然のこととみなされる事態――に関する現象学的な説明が活用されているのがわかる。責任としての処罰は、どの程度まで思想としてだけでなく実践としても当然とみなされているのか。この〔責任と処罰との〕結びつきを信じるのを一時的にやめてみれば、つまり、監獄に関するわれわれの理解を脱自然化してみれば――監獄廃止論の想像界はそれを要求する――われわれは気づくかもしれない。現在の世界のありようは分析可能な且つ解釈可能な反復行為を通じて創造あるいは構成されたのだ、と。そして、この反復可能な構造が生み出すプロセスは停止されるのだ、と。

このことについて、クィア・セオリーの専門家であり批判的現象学者でもあるゲイル・サラモンは「批判的現象学はどこが批判的なのか」という論文において、目に見える世界がいかに当然とはみなされえないかを説明しつつ、グウェンザーとは別のいい方をしている。サラモンにとって批判的現象学の使命は、世界への扉を開くこと、あるいは、世界を新たな考察へとあらためて開くことである。そして「こうした開くという行為は、分析という仕事を通じてあらわになる」[11]。フーコーを引用しながらサラモンは書いている。「哲学の役割は隠されたものを発見することではなく、可視的なものを可視化することである。いいかえれば、自分にあまりにも近いために、あまりにも親密なために、あまりにも深くつながっているためにわれわれが知覚できていないものを明確にすることである。科学の役割が見えないものをあらわにすることであるのに対し、哲学の役割は、われわれが見ているものをわれわれに見させることである」[12]。

われわれはこの考え方の視覚中心主義に反感をいだくかもしれないが、とはいえ、それは五感すべてに関連する近接という状態の重要性を際立たせている。時間を通じて——つまり、世界を「自然化する」一定の構築的行為を通じて——確立されるものという問題は、目下の秩序にも作用し、それが超時間的で必然的なものであるように思わせる。ここでサラ・アーメッドのきわめて影響力の強いテクスト、『クィア現象学——志向、対象、他者』（二〇〇六年）を参照してもよいだろう。この本はクィアネスと性的志向について幅広く考察するために、空間をめぐる現象学の思考法——われわれはどのように世界のなかを移動するのか、移動しないのか——を用いている。このテクストはアーメッド自身の言葉でいえば、対象を通じて、また対象との関係によって、空間のなかで志向が定められることの意味を再考するために、議論の出発点のひとつとして、身体への具現と空間に関するメルロ＝ポンティの考えをとりあげる。こうしてクィア・リーディングの実践が現象学の批判的読解から引き出される。批判的現象学のグループ——その代名詞は研究誌『プンクタ』と感動的な論文集『批判的現象学のための五十の概念』[13]である——は、自分たちの営みをこう説明している。それは「「見慣れたもの」を多くのひとに対する圧迫の場に変える、共通経験としての不正を突きとめ、それを変容させるために、周縁化、圧迫、権力に関する経験を際立たせること」だ、と。さらにこのグループは、みずからの実践を説明するために呼吸の隠喩を持ち出している。自分たちのもくろみは「現象学の伝統に新しい活気を吹き込み、現象学が倫理的にも社会的にも政治的にも有望であることを明らかにする」ことだ、と。現代というパンデミックの時代を理解するために「絡み合い」というメルロ＝ポンティの概念をどう活用するかについて思案しているうちに、私は本書においても思いもよらず、しばしこのグループの一員になっていたようだ。

たがいに密接に結ばれている

メルロ＝ポンティにとって、人間という生き物は身体的な存在として世界のなかにあるが、それと同時に、世界はわれわれのなかにあり、世界の物はわれわれの上にかぶせられている。身体は数ある対象のひとつとして現れるのではない。フッサールは間主観性の構造について書いたが、メルロ＝ポンティは、比喩や並列表現によって哲学的理解はより深まるということを彼特有の記述言語でほのめかしつつ、フッサールとは別の次元に向かった(14)。彼の考えでは、われわれの生の間主観的な次元は「絡み合い」、「重なり合い」として、あるいは、おそらくは交叉配列〔*the chiasm*〕という比喩形象を通じて、理解されねばならない。交叉《カイアズム》とは、二つの別個の存在が共有する領域であり、それ以外のあらゆる点では両者はたがいに明確に分離されている。したがって、身体とはある程度までは他の身体との関係のことなのだが、この関係性は身体を実体とみなしていたのでは正しく理解されない存在論的状態である、と考えねばならない。むしろ関係性は個としての主体を生み出すと同時に解体するのである。ここに、何かあるいは誰かに触れる私の手がある。だが、この接触はつねに、私自身か別の存在か、いずれかの性質を帯びている。つまり、接触は現象学的な意味で「志向的」である。接触はつねに何かへの接触なのである。触覚における対象への志向は、触れられるのが触れている本人であるときでさえ、接触を規定する。また、現象学的な手の感覚さえも事後的に規定する。この考え方は、触覚が志向性と世界化という両方の性質をもつことを示している。いいかえれば、触知可能な世界は触覚の条件であり且つ触覚の対象である。触知可能な世界とは、五感を働かせる存在にとっての基盤であり、ひとが感じ取るものであり、その感覚のいかなる発生をも超えたものである。

いま述べたばかりのことは、倫理について考える際にも大きく影響するし、これによってわれわれはおそらく、倫理的義務と社会的平等をめぐる理論にとって非常に重要なトピックである相互依存について再考せざるをえなくなる。われわれの生は身体と感覚のレベルでたがいに絡まり合っているというメルロ＝ポンティの理解を敷衍《ふえん》すれば、私のなすこと、私の行為自体はたしかに私自身の行為であるが、とはいえ、それは同時に、私自身ではない何か、いいかえれば、この「私」がより能動的な「私」へ変容するための契機となるある種の他者性としての私自身である何か、との関係においてつねに規定される。この枠組みにしたがった場合、カントから得られる方法によって倫理的行為を完全に説明することはできないだろう。カントの場合、私は誰もが行為の規則として採用すべき規則にしたがって行為する。あるいは、私は、他者が自分と同じように行為することを矛盾なく望みうる状態で行為する。こうした仮説的な場面においては、私が正しく行為していれば、他者は私と同じように行為する、あるいは、私と同じように行為しなければならない。また、われわれの行為のあいだには対応関係があり、さらには、正しい規則に合致した行為の二重化――あなたの行為＝私の行為――を前提とする暗黙の相補性さえある。つまり、私とあなたは同じ規則にしばられており、われわれに共通するその規則への志向によって相補性にもとづく倫理的行為が可能になる。私はあなたに私に対してこうふるまってほしいと思う、そして、それに合わせて私もあなたに対してこうふるまう。つまり、ひとつの同じ行為が個人的になされると同時に没個性的になされる。いいかえれば、同種の行為が私の側とあなたの側の両方で同じ規則にしたがって行われるのである。こうした一連の仮説を通じて「私」と「あなた」は増殖する。だが、倫理をめぐる考察の筋書きに投げ込まれるのに先立って「私」と「あなた」——二極関係の両端——のあいだにあると推定される関係は、何であるのか。ここでカントはわれわれの導き手となりうるのか。他人に何かをすることが同時に他者の行為を受け取ることでもあり、その際、なすこととなされることとは厳密に区別されないとしたら、どうだろうか。「あなたに触れることで私は取り消される」とわれわれがいうとしよう。このときわれわれは、なした行為と受けた経験の両方について述べている。だが、この経験はたんなる受動性ではない。それは行為と固く結びつけられた受動性であって、その発生源は性愛上重要な意味であいまいである。これまでの章でくわしく述べたように、何かに触れるひとは触れられてもいるし、自分自身に触れてもいる。要するに、ここでは、私の私自身に対する再帰的な関係と、私と同様あるいは私と同程度とはいえないまでも、ともあれ私と同時に行為する他者に対する志向的な関係とが重なり合うのである。この二つの動きは交差しあう。両者の交差の場あるいは時間は、エロティックな生の現象学にとって重要であるだけではない。それはまちがいなく、われわれのいう共通世界《ア・コモン・ワールド》の一部でもある。

覚えておいてほしいのだが、現象学において志向的〔*intentional*〕という語は「意図的」や「故意の」を意味しない。そうではなく、それは、意識や態度といった関係性の様態の構成要素である対象と結びついているという感覚、そうした対象に向かって方向づけられているという感覚を意味している。したがって、メルロ゠ポンティによれば、個人主義という方法論を受け入れて二人の別々の個人から出発することは、われわれにはできない。また、能動と受動の厳密な区別を安易に受け入れることも、われわれにはできない。その理由は、身体が触知可能なもの、触感のあるもの、感覚の領域、可視的なもの、聴覚でとらえられるものと絡み合っている——むろん他の身体もこれらと絡み合っている——ことに関係している。これらの領域は、ひととひととのあいだを媒介する第三項あるいは第三の圏域ではない。それは感覚作用に必然的にともなう領域である。触覚をもつあれやこれやの生き物は、この領域において交差し合う。この領域は、それら生き物の行為によってもとより含意されているものであり、それ自体ある種の相補的な交差〔*chassé-croisé*〕そのものである。われわれがたがいに同じ表面に触れ、隣りあって空気を吸っているときは、いつでもこの関係を交叉配列《カイアズミック》的なものとして理解するべきである。こうした、触知あるいは触知可能性の領域と呼吸あるいは呼吸可能性の領域とは、われわれが共有するものであり、且つわれわれがそれぞれ異なった仕方で共有するものである。それはまた、接触と呼吸のたびごとに、われわれを超え出て、われわれを包み込む、あるいは抱き込むものでもある。したがって、この領域は、われわれのコモンの一部ではあるが、分割、苦痛、重なり合いの場であり、愉快なものにも恐ろしいものにもなりうる。その意味でコモンなものには、いわば区別と重なり合いという溝が刻まれている。周知のとおり、コモンな世界は、われわれがその世界を平等に分かち合うことを意味しないし、われわれがみな同程度に毒と伝染病にさらされていることを意味しない。コモンな世界とは、デニース・フェレイラ・ダ・シルバがいうように「分離可能性なき差異[15]」なのである。

メルロ＝ポンティは、主体と客体の距離を前提とする認識論的な思考に対して異議申し立てとなるような言葉を見出そうとしていた。彼は志向性を主体と客体とのあいだの抱擁と呼んだ[16]。認識の主観的構造と、それと対になる認識可能なものの領域とのあいだの相関関係を、彼はこのように記述したのである。意識と世界は調和している。意識は世界をあるがままに認識するための構造をそなえており、世界は認識されるように意識に与えられている。この適合性は志向性をめぐる中世の教義の一部であり、現象学の遺産を通じて今日まで存続している[17]。私自身はこの教義に納得しないが、それが調和的抱擁にこだわっている点は評価している。それはすばらしい思想である。だが、それがいわば、〔抱擁というより〕ひとの首を背後から腕で絞めつけるもの、よろこびではなく痛みを与えるものであることが判明するとしたら、どうであろうか。意識と世界がきわだって不適合であるとしたら、どうだろうか。適合か不適合かは、その世界がどの世界であるかで決まるのではないか。それは世界の限界がどのように設定されるか、世界の永続的な「事実」がどのように自然化されるかで決まるのではないか。そもそもわれわれは世界そのものと、この世界――不平等、生態系の破壊、死に駆られた資本主義、等々によって溝を刻まれたこの諸世界――とを区別できるのか。

メルロ＝ポンティの用いる隠喩は全般的にエロティックであり、心地よいものである。「絡み合い」でさえ下手な隠喩とは思えない。私の考えでは、メルロ＝ポンティは不安定なかたちの差異化から生まれる憤怒を軽くみている——ただし『ヒューマニズムとテロル』ではそれに注目しているが。(18) 差異化に対して精神分析的にアプローチするのであれば、それは明確に、身体の境界に関する別の思考法を含意するものとなるだろう。社会理論は、境界の定まった身体を思い描く様々な方法が個人主義と関連していることを示すことができるが、精神分析は、境界をある程度想像的《イマジナリー》なものとして考えるための方法を与えてくれる。境界を欠き、他者と融合し、個別性が失われることへの精神的不安は、境界に対する欲望、開口部のない完全防御あるいは完全保護の状態への欲望と関連させて考えぬく必要がある。フロイトによる集団心理の説明はその好例である。集団心理において社会的きずなは、破壊的目的のために形成される。個人主義およびファシズムがもつ社会心理学的側面からは、「絡み合い」についての、さらには「抱擁」としての社会的きずなという理想主義的な概念についての、別の考え方が得られる。メルロ＝ポンティの楽観的な「抱擁」概念を他者および世界に対する志向的関係について考える方法としてとらえるなら、その概念によって、暴力の可能性、つまり心理的かつ政治的な防衛のために境界を設けるという可能性が締め出されるあるいは軽視されるのは、明らかなように思われる。しかし、相互依存はもちろんたんなる依存という関係性にも、幼児期の依存状態の消しがたい印象がつねにこびりついている。その印象のもとになるのは、みずからを親から完全に差異化しようとする長い失敗した企てであり、性的暴力にあるいは活力を失わせる防衛姿勢に容易につながる、身体の境界の混乱である。メルロ＝ポンティは哲学者としてだけでなく心理学者としてのトレーニングも受けていたが、とはいえ、彼のテクストを読んでいると、彼の理想主義には精神分析からの応答が必要であると思われる瞬間がある。理想像《イマーゴ》としての身体の経験が、よそよそしさをともなう生きた経験と著しい対照をなすときに生まれる空想、喪失、心理的障害は、メルロ＝ポンティのテクストのどこにあるのか。メルロ＝ポンティの熱心な読者であったフランツ・ファノンは、このことをわかっていた。ファノンは、身体的生に関する現象学的説明を人種に関する想像《イマジナリーズ》の枠内で解釈するという彼自身の営みに、精神分析を接続したのである。(19)

■ ■ ■

本書のようなやり方で「われわれ」なるものを喚起するのは無理かもしれないが、そこには願いが込められている。願いを込めた〔＝息づく aspirational〕読みというのは、長いあいだにその読み方が固定してしまったテクストに新風を吹き込もうとする読み、あるいは、不安と喪失感に陥った時代にテクストを通じて活気をあたえようとする読みである。[20] われわれはたがいに完全には区別されない（また完全に同じでもない）。というのも、われわれは契約や同意に先立って、すでに他者の生にかかわっているからである。さらに、われわれはこの事実に対して、また近接性、相互依存、逃れえない社会関係にとってこの事実がもつ意味合いに対して、反感をいだくかもしれない。生き残ることと生き続けることの問題に関していえば、われわれはたがいに依存し合っている、あるいは、空気と表面、呼吸と接触の世界を共有している。おそらくはそのために、われわれは共通の義務として、大気汚染、ウィルスの伝播、身体の接触、労務災害、性暴力、といった事態を規制する方法を見出さねばならない。こうした規制は犠牲をともなうので、それを望まないひともいる。そうしたひとにおいては、環境を破壊する権利が、個人的自由および利益を得る権利と密接に結びついているのだ。社会生活と経済生活は歴史的に構成されるものなので、いまあげた事態はみな、われわれが対処しなければならない問題である。また、われわれは力を尽くしてそうした生活のかたちをさらに規定すべく努力する必要がある。それと同時に、この社会的な構成物自体によって前提とされていることとして、身体に具現した生を考えるうえで欠くことのできない領域、ゾーン、分野――ここには傷つきやすさ、感受性、情念、罹患性も含まれる――が存在する。われわれは社会的に傷つきやすい《ヴァルネラブル》状態に置かれていることにたしかに反感をもつが、だからといって、われわれが身体の可傷性《ヴァルネラビリティ》を取り除けるわけではない。われわれは自分たちが吸う空気に不満をいだき、その空気に依存するあらゆる生命とわれわれ自身のために空気を安全に保つための規制を――ぜひとも必要なので――認めることができるが、生存のための空気の必要性自体を否定できるひとはいない。そうした条件は実のところ、われわれの主張の基盤、その最初の前提となる。社会的に構成されていない根本欲求は存在しないといわれるとしても、それはその欲求が社会的構成のたんなる効果であるという意味ではない。私が示唆したいのは、そうした考え方は社会構築の理論に関する誤解から出てくるということである。毒性のある環境が身体に取り込まれ、身体形成の一部となるとき、身体の成長および骨と肺といった器官は影響を受ける。ここで語られていることこそ、身体の社会的な構築であり、場合によっては性の社会的構築である。これは〔われわれが接触する事物の〕表面にかぶせられた虚構のことではない。そうではなく、環境がわれわれの身体に入り込み、われわれの将来の生活を規定するありようである。[21] われわれのいう根本的必要あるいは根本的欲求はつねに社会的に編成されているが、だからといって、その必要ないし欲求が完全に社会的に生み出されるわけではない。それとは逆に、必要や欲求が社会の編成をうながすのであり、欲求と社会編成とはいっしょに現れる。だが、欲求を社会的に編成する方法はたくさんあるので、われわれは欲求とその社会的編成とのあいだの相異を目の当たりにする。おそらく、「欲求」という語もいらないかもしれない。生活にとって根本的に必要なものを、つまり、生活の持続あるいは存続のために満たさねばならない条件を、名指す方法はほかにもある。だが、言葉を探さねばならないという事実は、名指すべきなにかが存在することを意味している。私の意見を思い切っていえば、マルクスの『一八四四年の経済学・哲学草稿』はこの問いの探求に適した場のひとつである。(22)

しかし、メルロ゠ポンティを通じてわれわれは、主体を軸にして基本的欲求を説明することから離れていく。彼はひとりの人間主体に何が必要なのかを問うのではなく、社会性という必要条件に注目する。この条件は世界との身体化されたかかわりから生まれるものであり、そのとき、形成過程にある主体は世界の感覚的な次元に捕らえられる。したがって、接触に言及するときわれわれが扱っているのは、触覚をもつ主体、触られることに同意する主体、接触を通じて他人を見出そうとする主体だけではない――これらはどれも重要なトピックではあるが。触覚はブルーノ・ラトゥール、イザベル・スタンジェール、ダナ・ハラウェイが説明しているように、ある意味で触手的なものに分類される。(23) メルロ゠ポンティにとって、触知可能なものはわれわれをがっちりと捕らえている。つまり、可視的なものとは、私が見ることと私が見られることとが調和し総合される場なのである。この〔見る／見られるの〕厄介な反転は、私における再帰性〔見ている私が私によって見られる〕が他者および対象との関係――および他者および対象の、私に対する関係〔他者（対象）を見ている私が他者（対象）によって見られる〕――と重なり合うときに現れる。私の行為する場は、最初は主体と他者を媒介する第三項として現れるかもしれないが、実のところ、その場は主体と客体両方を横断するなかで主体／客体の二元論を解体する。実際は、世界がそうした第三項でもあることが判明するかもしれないし、私が言及してきたそうした場はどれも、世界が――他者、生き物、対象、溝を刻まれた厄介なコモンの世界、等々の感覚的次元に分かちがたく巻き込まれたものとしての、五感および身体的経験において、またそれを通じて――その可能性を開示する様態であるかもしれない。

　われわれがいわば、たがいに窮地に陥っているとすれば、あるいは、われわれの生がわれわれと同様に接触と呼吸の領域に依存する他者の生を暗示するとすれば、私は、パンデミック下においてどう生きるのが最善かという倫理的問いを提起するとき、個人主義とナショナリズムを超えたかたちで私自身の方向性をあらためて決めねばならない。この相互連関の場面からはじめるなら、私はパンデミックのような状況においていかに行動すべきか、何をすべきか、と問うことになり、私の行為はすでに他者の行為と密接に結ばれていること、つまり、私の行為はたんに私の行為ではないことを理解する。われわれはたしかにたがいに区別されてはいるが、この相互連関からはそう簡単に逃れられない。われわれは家や様々な援助――たとえば保健医療や生活インフラ――といった必要条件だけでなく、触れられるもの、見えるもの、吸い込めるもの、食べられるもの、摂取できるものといった領域にも依存し且つそれらを共有している。

それこそが、いま述べている相互関係が生まれる理由のひとつである。もちろん、依存というのはみじめなことかもしれない。依存は搾取、監禁、法的占有といったかたちをとる可能性もあるし、支配あるいは望ましくない自己喪失といった場面を生み出す可能性もある。そうした場合、平等という理想にもいえることだが、互恵的な相互関係は消滅する。したがって、課題は相互依存をたんに肯定することではなく、相互依存の最善のかたち、すなわち、根源的平等という理念を明確に具現する相互依存のかたちを見出すべく、あるいは作り出すべく、集団的に努力することである。

倫理とはこうしたきずなを認めることの問題であると、ある程度いえるのだろうか。また、われわれは生と生活のこうした条件、すなわち、あらゆる熟慮された行為に先立って存在し、その熟慮が起こる地平自体を形成する条件への依存を部分的に共有しているわけだが、倫理とはこの依存を認めることとの問題であると、ある程度いえるのだろうか。たとえこのきずなが社会的存在論の一要素としてとらえられるとしても、それは、そのきずながおのずから現実化されるという仮定をゆるすものではない。それどころか、われわれの使命は、自己利益にもコミュニタリアニズム（人種差別の口実）にも国民的アイデンティティ（国境地帯での暴力の口実）にも堕《だ》することのない互恵的な相互関係を――あたかも初めての試みであるかのように――確立することなのである。この使命を果たそうとするなら、倫理的な関係性というものを絡み合い、あるいは重なり合いとして再考することになるだろう。あるいは、平等というものをそうした倫理的関係性を背景にして想像すると同時に、その関係性を交叉的《カイアズティック》なものとして再考することになるだろう。他人と区別される「私」なるものがあるとすれば、それはその特異性を維持するであろうが、こうした倫理の基盤にはならないだろう。いやむしろ、そうした「私」という基盤は相互依存の否定と関係性の否定によって生み出されるのであり、ゆえに覆されねばならない。

私は本書を、しばしシェーラーに立ち返ることからはじめた。それは、どの価値、あるいはどの一連の価値が悲劇的と呼ばれる世界形成において破壊されるのか、という問いを提起するためであった。パンデミックを通じて私がシェーラーへと導かれた理由は、部分的には以下のようになると思う。こんにち起こっているように思われるのは、あるいは起こるおそれがあるのは、命の価値の平等という理念の破壊であるからだ、と。ひとの命が奪われたり破壊されたりするときに起こる、あるいは、死が避けられる状況でひとの死が放置されるときに起こる価値の破壊は、命の価値の破壊である。そして命の価値とは、すべての命は平等である、あるいは平等に扱われるべきである、という主張に照らしてはじめて意味をもつ価値である。これは逆説にきこえるかもしれない。なぜなら、記念品や回想録から得られるものとしての個々の生の価値は、しばしばその生およびその価値の特異性をよりどころにしているからである。そのため、次のような不安をいだくひともいる。平等な価値を主張すれば、個々の生の特異性とその価値が失われ、それにともない、その生だけがもつ特異な価値がおびやかされるだろう、と。そうしたひとは、価値は特異性に見出すべきであると思い込んでいるわけだ。しかし、多くのひとが襲撃、爆撃、事故、病気などで亡くなるとき、公的な喪の行為は当然のことであり、失われた命の価値は重んじられねばならない。この場合の失われた価値は共有された価値、いいかえれば、ともあれグループとしての人々に属する価値である。こうしたかたちで単数および複数の生の価値について語るのは意外にむずかしい。なぜなら価値という用語は、市場と金融的価値のなかに完全に吸収されてしまったからだ。たとえば、事故で亡くなった人々の死亡記事には、人的資本による価値生産にもとづいて書かれたものがある。そこでは、失われたものの重大さと価値が、個人の実績および個人のもつ将来的に価値を生み出す力と結びつけられている。仮に失われていなかったら個人としての価値はどう評価されていた可能性があるのかを予測すること、ここではそれが含意されている。[24]失業したひと、あるいは、様々な理由から、新自由主義の物差しで評価されるようなことは何ひとつできないひとを称賛する公的な死亡記事はめったにない。そのひとが女性である場合、彼女は家庭という領域にすばやく押し込められる。そこでは彼女の価値は、子育て、あるいは近所づきあいにある。市場の価値観と新自由主義的な価値観によっては、失われた命の価値は伝えられない。なぜなら、この二つの価値観は喪失自体を生み出す機構の一部であるからだ。つまり、両者は、市場を開いておくことを可能にする生命を犠牲にしてまで市場の価値を重視する死の欲動に駆られているからだ。

私は第一章で、産業界と大学がパンデミックの状況下でよりどころとする価値の尺度と、どの死なら許容できるかを決める暗黙のあるいは明示された計算について述べた。市場の再活性化のために支払うべき犠牲として、どれだけの死者数なら合理的なのか。そうした計算において機能している価値観は何であるのか。また、いかなる価値観が破壊されるのか、と。この破壊は、この世界はいかなる世界なのかという抗議の叫びにつながっていく。いいかえれば、その世界に対する告発――いまとは別の集団的価値観によって律せられたいまとは別の世界感覚を活気づける、あるいは再生する、緊急の要請――を生み出していく。

合理的な死亡率に関する問題は普通、自分自身をその計算方程式の因子のひとつとみなさないひとたちによって提起される。容認可能な死亡者数を計算するひとが、潜在的に死者のひとりに数えられる生身の人間として、最終的な統計の内部に現れることはまずない。計算という行為によって、計算する人間は有限性〔命に限りある存在〕の領域から取り除かれるように、そして、その生命と死が計算可能なものとして扱われる他者の集団が生み出されるように思われる。計算によって計算者は、計算可能な死から救い出されるように思われる。少なくとも空想の領域においてはそうなのだ。実際、死亡率の計算はつねに、空想の次元をともなっているのではないか。ポスト主権型あるいは新《ネオ》主権型と呼びうる計算は、悲嘆可能性〔grievability〕という尺度──誰の命が失われた場合に、それが喪失とみなされ喪失として記録されるのか、さらには数値化不可能な喪失という地位が問題になるのか、また、誰の死がそれとして名指されないまま粛々と数値化されるのか──にもとづくある種の不平等を生み出す。こうした例において社会的不平等は、死政治的《ネクロポリティカル》暴力とあわさって機能している。

われわれの社会的慣習、家庭、公的領域における不平等は、多くのひとにとって職場、家、街路と結びついた生々しい危機感を悪化させるものであるが、パンデミックによってこの不平等の情勢が公衆の意識にしっかりと刻まれていたら、抵抗への明確な道筋が整えられていたであろう。そしてパンデミックによって、気候正義〔climate justice〕の必要性が平明かつ明確に強調され、世界中の人々がその急を要する感動的な運動に結集していたら、いまとは違う政治的動員の方向性が示されていたであろう。だが、われわれがいま築き上げている政治は、いかなるものであれ、不平等と気候変動という二つの破壊形態に抵抗するために、この二つの課題を結びつけねばならない。[25] さらに、このパンデミックの期間に生まれたケアのコミュニティは、活力のもととなる新しい社会のかたちを構築し、避難所という概念を家庭や国家の枠を超えて拡張している。同じことは、われわれに新しい視聴方法をもたらした、現在オンラインで公開されているパブリック・アートについてもいえるだろう。だが、黒人とヒスパニック系の人々、女性と男性、トランスジェンダーの人々、ブラジルやアンデス山脈のような場所あるいは合衆国やカナダの先住民に譲渡されていない土地における土着住民とトラヴェスティ〔女装する性労働従事者〕、等々に対する警察の暴力は、〔計算にもとづく〕組織的意図による死の受け入れと、つまり、経済的リアリズムという仮面をかぶった市場狂信者によって促進され是認された死の受け入れと、時を同じくして起こっている。

ひとつの提案は、パンデミックにおいて責任を果たす資本主義を追求することである。それは、傷つきやすい集団を見捨てない資本主義、あるいは、その集団の免疫システムが守られるようなやり方でその集団が確実に隔離されるようにする資本主義である。だが、これでは十分ではない。「傷つきやすい集団《ヴァルネラブル》」——ウィルスによって深刻なダメージを受けて、命を脅かされる可能性が高い人々、また、病原体によって命を失う危険がない人々と対照されやすい人々——を同定するためになされる努力について、私はきちんと理解している。傷つきやすいひとたちとは、たとえば、生涯を通して、またこの国の歴史を通して適切な保健医療を奪われている黒人とプエルトリコ系住民、貧困者、移民、囚人、身体障がい者、保健医療の権利獲得のために闘うトランスジェンダーおよびクィアのひとたち、病歴および持病をもつすべてのひとたち、等々である。パンデミックによってあらわになるのは、保健医療を受ける手段も経済的余裕もないすべての人々がかかる病気に対する、高まりゆく可傷性《ヴァルネラビリティ》である。しかしながら、重要なのはそうした集団を隔離することではない。そうではなく、その集団がもつ、他の人々と対等の力と社会に属する権利とにかなった公的生活の状況を作り出し、維持することである。これを実行するうえで、市場の価値観はたよりにならない。オミクロン株が猛威をふるう時期に「一日の死者はたった二千人だ！」とよろこびの声をあげるひとたちは、二千という数字を受け入れるのにやぶさかでないばかりか、その数字をわくわくしながら擁護するのである。

これを受けて、可傷性についてはとりあえず、少なくとも二つのことがいえるかもしれない。第一に、可傷性は、社会生活という共通の条件、相互依存、病原菌への暴露、多孔性という共通の条件をいい表している。第二に、可傷性は、周辺化された人々はそうでない人々にくらべてかなり死の危険性が高まるという状況、広範な社会的不平等の避けられない帰結として理解されるそうした状況を名指している。たしかに、オミクロン株で亡くなった多くのひとたちはワクチンを接種していなかった。だが、反ワクチンという感情はその死の部分的な原因にすぎない。多くのひとが死政治的《ネクロポリティカル》な政府の出す公文書を信用しないのには正当な理由があるし、ワクチン教育もワクチン自体もほとんど受けられないひとたちもいる。それに、免疫不全のためにワクチンが効かないひともいる。功利主義は「このひとたちは死なせておけばよい」ということを、言葉を変えていいっているにすぎない。

第四章　生者にとっての悲嘆可能性

『非暴力の力』（二〇二〇年）において私は、悲嘆可能〔grievable〕なものと悲嘆不可能〔ungrievable〕なものの区別は社会的、経済的不平等の機能および意味の一端であるばかりか、暴力の効果——暴力の表現とはいえないとしても——でもあると主張している。(1) 悲嘆可能とは、どういう意味だろうか。失われたひと、あるいは失われた物が悲嘆可能あるいは悲嘆不可能であるとは、そのひとないし物が公的に記録され承認されるか、あるいは、なんの痕跡も残さず承認もまったくあるいはほとんどされないまま消え去るか、そのいずれかを意味すると、われわれは考えるかもしれない。たしかに、比較的小規模な集団は持続的にひどく喪失を嘆き悲しむかもしれないが、そうした喪失と喪の営みは、人間の価値を探索する、社会の支配的なレーダーにはひっかからない。私の主張の根底にあるのは、あいまいにみえるかもしれない「承認」〔acknowledgment〕の概念である。私はここで「喪とメランコリー」におけるフロイトの主張に依拠している。フロイトはいう。喪の本質は喪失の承認にある。つまり、喪失という現実を銘記し、喪失という出来事の認知をさまたげる防壁をなくすことにある、と。この種の承認は時間のかかるきつい仕事であり、理解も受け入れも困難かもしれない喪失に接近するための、シンコペーションのようなリズムをもった努力である。特定のひとないし物が二度と帰らないことを様々な現実の機会によって確かめるなかで、この承認は通常は少しずつなされると、フロイトは主張する。われわれは時間をかけて、あるひとが本当に亡くなってしまったことを理解あるいは実感する。フロイトの言葉でいえば、そのひとの不在が記録されるなかで「現実による評決」が時とともに下されるのである(2)。現象学の言葉を使えば、あるひとは二度と帰ってこないという様態でしかいまここに存在しない、といえるかもしれない。フロイトの場合、メランコリアは、喪失という出来事を承認できない状態として説明されることが多い。通常この承認の失敗は、不満、落胆、自己非難となっておもてに現れる、無意識的かつ積極的に維持されたある種の否認の姿勢である。

したがって、喪とメランコリーの差異は承認の問題にかかわるように思われる。『ジェンダー・トラブル』以来、私は、ある種の喪失が記録も尊重もされないときに定着する広範な文化形式としてメランコリアを理解するために、メランコリアの分析を、個人の心理の枠を超えて拡張しようと努めてきた。自分の愛あるいは愛着が承認されずにその愛を失う状況では、ひとはその愛もその喪失も承認できない。そして、これによって一個人はメランコリックな状態に置かれる。これは鬱と躁の両要素をふくむ状態、あるいは、鬱と躁のあいだの揺れ動きという特徴をもつ状態である。(3) メランコリアを考えるとき問題となるのは、ひとが何を失うかである。それは個人の場合もあるし、その個人の愛の場合もある。だが、フロイトは明確にこう述べている。それはひとつの理想、つまり、その個人はこういう人間であるべきだったという空想の場合もあるし、実のところ、国家をめぐる理想の場合もある、と。合衆国の様々な州で白人の人口的優位が失われたことは、白人優越論者が優越というみずからの空想を、つまり、かつて一度も可能であったためしがなく心に抱かれるべきでもなかった理想を、失わねばならないことを意味している。白人優越論者は平等につよく抵抗するなかで、自分たちが喪の対象にせざるをえない喪失に背を向けているのだ。白人優越論者がこのふるまいをすぐにやめることをみなで期待しよう。

私は初期の仕事でこう示唆した。ある種のシス男性性《マスキュリニティ》〔生まれながらの性と一致したジェンダー・アイデンティティによる男性性〕が他の男に対する愛をなんであれ否定することに依存するかぎりにおいて、ジェンダーはそれ自体、部分的にメランコリアを通じて構築されるかもしれない、と。一部の男たちにとって、男であるとはまさしく、他の男を愛したことがない、そして男を失ったことがない、ということを意味する。(4) 愛も喪失も経験した「ことがない」というこの状態は、問題となるジェンダーのなかに組み込まれた否定性であり、いいかえれば、その種の男性性のなかに安住するひとたちのあいだの無意識のきずなを形成するメランコリー構造である。これと同様に、自分はゲイではないしゲイであったこともないという主張は、ある種の抗議であり、そこでは、その男性性以外の場から発せられる別の声がその声に対抗する意見を活性化していることが、暗示されている。この抗議は喪失の承認をゆがめているが、同時に、見た目のよくない承認のかたちと解釈してよいかもしれない。ゲイ的欲望の感情が比較的コモンなもの、社会組織に「蔓延した《エンデミック》」ものであるとしたら、どうだろうか。私は数十年前にこう問うた。この種のジェンダー・メランコリアは文化の一般的特徴なのか。われわれは文化的メランコリアについて語ってもよいのだろうか。つまり、おのれのゲイ的欲望について考えることをかたくなに否定することでその男性性が多かれ少なかれ成り立っているストレートの男たちがいるわけだが、その彼らに共通してみられる文化的メランコリアについて語ってもよいのだろうか、と。もちろん、シスジェンダーの生、クィアの生、トランスジェンダーの生には、この種の否定と相関していない幅広い男性性が存在することはわかっている。だが、男性性の概要としてふさわしい規範的なものもおそらく存在するだろう。その当時、私の議論は部分的に、アレクサンダー・ミッチャーリヒとマルガレーテ・ミッチャーリヒの共著『喪の能力の欠如』を参考にしていた。この本は、戦後数年間にドイツ文化に広まっていたメランコリアを実証的に論じたものであった。[5] この本によれば、ドイツ人はみずからの喪失を、いやそれどころか、みずからの破壊的性格を承認できなかった、あるいは喪の対象にすることができなかったが、しかし、自分たちでは名付けようのない破壊と喪失の経験に取りつかれていたようなのである。ナチ時代から五〇年代の好景気へと向かう急激な変化は、市場に対する狂信と、その将来に関する特殊な感覚をもたらしたが、そのとき社会には、憂うつの感覚も広く浸透していた。それはフロイトが——初期近代の例にならいつつ——メランコリアと呼んだものであり、いまやそれは文化的状況として出現したのである。

ここ数年、私は戦争と、ひとの命に対する公的な攻撃について考えてきた。そして、誰の命が公的な喪の対象になり、誰の命がそうならないのか、と問うてきた。[6] 合衆国はその手で殺した人々を喪の対象とせず、自国の市民だけをその対象とする。そして市民とはいっても、それはもっぱら白人で財産のある既婚のひとたちのことであり、対して、貧しかったりクィアであったり黒人やプエルトリコ系であったり身分証明書のないひとたちは、おいそれとは喪の対象にならない。私はこのことが重大だと思ったのである。生きている人々はいわば、自分が悲嘆可能な人間集団に属しているのかわからないと感じている。生きている個人について、そのひとが悲嘆可能であると述べるのは、そのひとが亡くなったら悲嘆の対象になるだろうと述べるに等しい。それはまた、世界はその生を維持するように、その生の開かれた未来を支えるように構成されている、あるいは構成されるべきである、と述べるに等しい。食料や住居や保健医療に不安をかかえて生きているひとたちは、自分たちは不必要な存在だという感覚をもって生きている。存在する必要がないという身体的な感覚をもって生きることは、なんの痕跡も残さずに、また承認もされずに、死んで地上から去ると感じることに等しい。ここには、自分の生は他者にとって重要ではないという生々しい確信、いやむしろ、一部の人々の生が保護され、他の人々の生が保護されないように世界は組織されている――経済は組織されている――という生々しい確信がある。一部の人々が死ぬことを承知のうえで、パンデミックの高まりに続いて経済活動が開始されるとき、不必要な人々のタイプが同定されていく。これは市場による価値算定のなかで出現するファシズム的な局面である。われわれは、この種の価値算定が社会規範となりかねない時代に生きているのである。要するに、この価値算定は、われわれが日常のレベルおよびグローバルなレベルで戦わねばならない合理性であり権力である。

自分は悲嘆されるに値しないという意識をもって生きることとは、自分が不必要な人間集団に属していることを理解することであり、また、基本的なケア制度に無視されるなかで、あるいはその恩恵にあずかれないなかで、自分は見捨てられたと感じることである。この種のメランコリアは、未来が取り除かれたという感覚に内在している。この感覚は、手の届かない医療を得ようとして返済不可能な借金を背負い込んだか、住所不定と不安定収入の状況に置かれたかで、セーフティ・ネットから永久にこぼれ落ちてしまったことに付随するものである。この生が守るに値しないとみなされた場合、この生には価値がないことになるのか。それとも「価値」そのものが、われわれが根本的に疑わねばならない評価基準によって乗っ取られているのか。生にはいかなる意味での価値が付与されているのか、また付与されるべきなのか。価値とは、いかなる評価基準になじむものなのか。

私はこれまで、悲嘆可能性が不平等に分配されていることを理解しなければ、社会的不平等は理解できないと主張してきた。この不平等な分配は、社会的不平等の主要な構成要素、社会理論の専門家が一般に考慮しない要素である。ある集団やある地域住民を明示的にせよ暗示的にせよ悲嘆不可能な人々として定めることは、その人々が暴力の標的になること、あるいは、その人々の死がなんら重大な結果をまねくことなく放置されることを意味する。そうした標的の設定は一連の政策や理論によって暗示される可能性があり、それを社会的行為者《アクター》の自覚的な願望として発見する必要はない。それゆえに、悲嘆可能性の差異から生じるたぐいの社会的不平等は、制度的暴力の一種といえる。私の考えでは、非暴力の政治を求める闘争は、命の平等な価値を求める闘争であると同時に、致命的な結果をもたらす論法に抵抗する闘争でもある。ここでいう致命的な論法とは、持続的に人々に不必要なものというレッテルを貼り、命に保護に値しないもの、喪に値しないものというレッテルを貼る（あるいはそうしたレッテルを貼らずにおく）死政治的《ネクロポリティカル》な算定術である。二つの部分からなる私の主張をまとめれば、以下のようになる。（一）社会的不平等にあらがう闘争は、悲嘆可能性の格差にあらがう闘争でなければならない。（二）この闘争は非暴力の政治の構成要素でもある。というのも、非暴力とは、個々の暴力行為に反対するだけではなく、死んでもかまわない人々を設定するという方針に立つ暴力的な制度、政策、国家に反対すること、あるいは、人々が監禁状態のなかで死んでいく状況を放置する政策に反対することでもあるからだ。われわれはここで、いうまでもなく、移民に対するEUの残忍な政策について考えることができる。また、地中海を渡ろうとする人々の命を――国家が守ろうとしないとき――守ろうとする人道主義的行為者《アクター》がEUによって法的に処罰されることについて考えることができる。

パンデミックという状況では、われわれはみなある種のメランコリアになっているのかもしれない。どうすれば、これほど多くのひとを喪の対象にできるのだろうか。われわれの失ったものをどう名付けたらよいか、わかっているひとがいるだろうか。この喪の必要性に対する応答となる公的な象徴《マーク》あるいはモニュメントがあるとすれば、それはいかなるものなのか。われわれはいたるところで、そうした象徴《マーク》の不在、感知される世界におけるギャップを感じとる。会合がきびしく制限され不安視される、あるいは、喪を営むために断続的に計画される状況にあって、ひととつながるためのいかなる方法が残されているのか。いまや多くのひとはZoomによる式典に出席した経験があり、それを開催するむずかしさを知っている。病院で死の床にある近親者に会えない、そのひとを知る人々と集えない、という状況によって喪失の経験は簡略化される。その場合、喪失の承認がおおやけに共同でなされるのはむずかしい。喪失（近親者の死）を経験した多くのひとは、その喪失が刻印《マーク》され共同作業によって記録される場としての公的な集いを奪われて、閉鎖的な喪の空間としての家庭に連れもどされている。インターネットは新たな公共空間であると以前にも増して主張されているが、私的および公的な集いは人々が喪失の意味を深く理解し、その困難を切り抜ける場であり、インターネットはその完全な代役にはなりえない。そして、われわれは一堂に会するとしても、たがいに距離を取り、ぎこちない姿勢でなんとかハグをし、不安をいだきながらキスをする。完全に私的な喪は可能である。だが、様々な生の絡み合いからなる社会の内部でこの唯一無二の喪失の証人となるように世界に訴えかける歌、泣き声、故人にまつわる話は、完全に私的な喪を通じて発せられるのか、あるいは静められるのか。立て続けに生じる、かくも膨大な数の公的な損失（死）の場合には、公的な喪への欲求と結びついた政治的問題がつねに存在する。パンデミックの初期においてわれわれは、エクアドルにおけるうずたかく積み上げられた死体や、ニュージャージー州や北イタリアにおけるクローゼットのなかに積まれた死体のイメージを通じて、拘束された人々をケアする力を奪われた病院施設が過剰な患者数に圧倒され、財源不足に陥っている様子を目の当たりにした。死者や死の床にある人々のイメージは、センセーショナルなニュース映像となってひっきりなしに目の前を流れていく。引きこもることで、周囲に広がった死という感覚と、それから関心をそらす共同の実践――「不快なことはみなで無視しよう！」――が強化される。だが、なすべきことは、喪失〔死〕を環境のようにみなす感覚を、喪と〔喪への〕要求に変換することである。大量の死に対して喪を営めるようになることは、名も知らぬひと、われわれの知らない言語を話すひと、われわれの住む場所から隔絶されたところで生きているひとの死を認知すること、われわれの陥った方向感覚の失調状態に対処するためのグローバルな枠組みに固執することを意味する。これはひとつの生であったと断定するために、故人を知っている必要はない。ある生が存在したことを知るために、その生についてことこまかに知っている必要はない。世界に属する権利は匿名的なものだが、まさにそれゆえに、強制的なものでもある。おおやけの言説において、われわれの注意を引くのは、途中で断ち切られた生、本来ならもっと長く続くべきであった生である。〔対照的に〕高齢者は死への途上にある（だが、それ以外のわれわれは違うというのだろうか）。年齢がなんであれ、その〔失われた〕ひとの価値はいまや他者たちの生のなかに保持される。これは、他の生の取り込み、他の生との生きた共鳴、生き続ける者たちを変容させる生きた傷ないし痕跡、へと変わる承認の一形態である。ある他人が私の経験したことのないような苦しみを経験するからといって、その他人の苦しみを私が想像できないわけではない。喪にそなわる音楽性がその音響の力によって様々な境界を横断するかのように、われわれのきずなは共鳴、翻訳、反響、リズム、反復から生じる。見知らぬひとが耐え忍んでいる喪失は、誰もが感じる個人的喪失と共鳴するが、両者は同じではない。同じでないからこそ、共鳴が起こるのである。隔たりはつながりに変わるのだ。悲嘆にくれる見知らぬひとたちは、見知らぬ間柄であるのに、ある種の集団性を生み出すのである。

大勢の死を市場の「健康」の維持のために払うべき代償として受け入れてきた、市場原理による計算と思弁は、相当数の生命の犠牲を理にかなった代償、理にかなった基準として受け入れている。そう、こうした帰結は市場の特殊な合理性の内部では「理にかなった」ものとして認められるのである。合理性というのはなにも市場の合理性に尽きるわけではないので、つまり、計算における合理性はそれ固有の限界によって頓挫するので、われわれは――生に確固たる単一の定義がないとしても――生には計算不可能な価値があると断言できる。ここでの難題は、その計算不可能な価値を否定するのではなくむしろ組み込んだ、社会的平等の概念を解釈することである。

ジャック・デリダはカントに依拠して生の計算不可能な価値を導き出しているが、それは実のところ、デリダがフッサールの『ヨーロッパ諸学の危機』を読解する文脈においてであった。

「不合理でもなく疑わしくもない計算不可能なものの可能性」を理解しようと努めるなかでデリダが示唆するのは、

> 合理的で厳密な計算不可能性は、合理主義的観念論の伝統の最高峰において、そのままのかたちで現れていた、ということである。合理的なものの合理性は、計算可能性には決して限定されない。つまり、計算としての、理性《ラチオ》としての、根拠《アカウント》――済ますべき決算《アカウント》、なされるべき説明《アカウント》――としての道理には、けっして限定されない。とはいえ、なかには、限定されると信じさせようとした者もいたけれども。われわれはのちに、ここからなんらかの帰結を引き出すことになるだろう。たとえば、〔カントの〕『人倫の形而上学の基礎づけ』において「尊厳」（*Würde*）が果たす役割は、計算不可能なものの階層に属している。〔カントのいう〕目的の国において「尊厳」は、市場での値段（*Marktpreis*）がついているために計算可能な等価物を生じさせるものとは対立している。理性を備えた存在（人間はその例であり、カントにとっては人間だけがその例である）の尊厳は、目的そのものとして計算不可能なものである。[7]

カントが彼自身の死刑擁護論（われわれの生命は国家に属しており、ゆえに国家がそれを奪うのは正当化されると、カントは主張した(8)に異議を唱えるためにこの議論を引き合いに出してくれたらよかったと思うが、とはいえ、われわれはカントの意見を、よりアーレント的な思考にそって、すなわち、われわれは世界に属しているという考えにそって、とらえ直すことができる。この地上で誰と共生するかを決める権利はアドルフ・アイヒマンにはないと、ハンナ・アーレントが語っていたことを思い出そう(9)。自分はユダヤ人や、なんであれ他の人間集団のいない世界に住みたいと、アイヒマンが述べることはできなかった。なぜなら、そうした選択は人間には与えられていないからである。アーレントによれば、人間にはそうした権利がない。だから、地上からある人間集団を消し去ろうとする人間は、大量殺戮というまったく正当化しえない特権を行使している。アーレントにとって、人間は生まれながらにして、共通基盤のうえで共生するという条件のもとにあり、この条件は異種混交性〔多種多様な人々の共生〕あるいは複数性〔多数の人々の共生〕という不変の特徴を帯びている。この複数性という所与の条件は、われわれが選択したり行為したりする際の、超えられない地平である。だが、これに逆らって行為するならば、われわれは人間の生——社会的、政治的生と理解される——の条件に対して罪を犯すことになる。もちろん、われわれは自分が投げ込まれた共生関係を愛せない、あるいは楽しめないかもしれない。たとえば、自分の家族を選べるひとなどめったにいないのだから。だが、共生という義務はかならずしも愛あるいは選択から生じるものではない。われわれのあいだの関係、この社会性は、血縁関係、コミュニティ、ネーション、地域を超えている。それはむしろ、われわれを世界の方向へ導くのである。もちろん、アーレントのいう、世界への愛は、共生という条件を確保するこの心的傾向に付けられた名前であろう。だが、たとえそうだとしても、自分の生のよってたつ基盤を破壊するという、われわれがもつ途方もない可能性について、われわれはどう理解するのか。みずからの生の条件をかくも簡単に破壊できるわれわれは、いかなる生き物なのか、あるいは、いかなる生き物になったのか。

私はこれまで、相互依存性はぎこちなくも必然的に共有された生の条件の特徴であると示唆してきた。ここでいう生の条件とは、身体の露出がもたらす危険と情念、多孔性——何かを中に入れ何かを外に出すこと、いわば、そうした境界線において且つそうした移行を通じて実存すること——がもたらす危険と情念である。社会的不平等の意味するものが死の可能性の増大であるとすれば、未来への扉を開くのは、これまで以上に根源的で実質的な社会的平等、これまで以上に目配りのきいた集団的自由、明確な、またとらえがたいかたちの暴力に対する大衆参加による抵抗である。われわれが世界を、いやそれどころか地球を、修復しようと努めるなら、世界は、生と死の分配によって売買し利益を出す市場経済から解放されねばならない。生の政治というものがあるとすれば、それは反動的な政治ではないし、単純な生気論に行き着くものでもないだろう。むしろそれは、根源的な平等を実現するために、またグローバルな性格をもった非暴力的な命令を尊重するために、共有された生の条件について反省することであろう。ひょっとしたら、これは世界をあらためて創始する方法であるかもしれない――その世界がすでに始まっているにしても、である。ひょっとしたら、これは、幽霊のように浮かび上がる現在から、この世界の地平線から新しい想像界が現れるなかで、いわば未来へおもむく方法であるかもしれない。

あとがき――変容

すでに述べたように、悲嘆可能性の考察は死者にのみ関係するとひとは思うかもしれない。だが、悲嘆可能性は、生きている者――自分の生あるいは自分の愛するひとの生がしかるべきなんの痕跡も残さずに、いつ消えてもおかしくないことを自覚して歩き回っているひとたち――にそなわる特徴として生においてすでに機能している、というのが私自身の主張である。なかには、自分は思いがけず早死にするだろう、あるいはするかもしれないとすでに自覚しているひとたちもいて、その人生にはこの確信が影を落としている。避難を余儀なくさせる、世界の突然のあるいは緩やかな崩壊について考えてみよう。避難民は家族が地中海を横断できるように、冷淡な見知らぬ人物、粗末な船をもつ私欲の念にかられた男に委託する。その結果、避難民を乗せた船はマルタ当局によって送り返される。あるいは、救助の見込みもなく転覆する。あるいは、イタリアやギリシアの沿岸警備隊に発見されて無期限の拘留に入る。あるいは、難民の輸送が不可能な状況、情け容赦なく封鎖された国境、非衛生的な住環境、国民の権利および国際的な権利の否定に直面し、また、いかにして生き延び移動し目的地に着くか、これらのことを同じ境遇に置かれた他者とともにどのように成し遂げるか、という問いに何度も直面する。

悲嘆可能性は平等の必要条件であると私は述べた。悲嘆可能性はひとつの生とみなされることと関係している。あるいは、こういってよければ、それは問題＝物質《ア・ボディ・ザット・マターズ》となる身体であることと関係している。したがって、悲嘆可能性を主張することは、〈ブラック・ライヴズ・マター〉の核となる主張のひとつである。〈ブラック・ライヴズ・マター〉は近年においてもっとも強力な社会運動のひとつであり、名前がそのままスローガンになっている。このスローガンを政治の道具として軽んじるべきではない。このことは〈もうひとりも殺させない〉〔¡Ni Una Menos!〕という、ある運動の名前となった歌《チャント》にもいえる。これは、ひとつの活動として情動を帯びたシニフィアンのもとに結集したグループを名指す名前となる。この二つのケースにおいて運動は様々な境界を超えて移動している。かくも多くのひとが境界を通過できないときであっても、そうなのである。

私のここでの主張は二つのポイントからなる。第一に、〈黒人の命を守る運動《ザ・ムーヴメント・フォー・ブラック・ライヴズ》〉はある種の公的な喪でもある。それは、人々が実際に集う場合も集わない場合もある、つまり具体的な場合も仮想的な場合もある喪のかたちであり、様々な境界を横断し、ロックダウンには服従しない。われわれはこの運動を対抗感染〔感染に対抗する感染〕と呼んでよいかもしれない。ここ数か月のあいだ、警察が丸腰の黒人、たとえば、家のベッドで休んでいる個人（ブレオナ・テイラー）や背中を向けて走っている個人（ウォルター・スコット）を殺すたびに、あるいは、白人が街路でジョギングしている黒人（アマード・アーベリー）を殺した際に、数万の人々がこうした殺害に抗議するデモを行っている。〈ブラック・ライヴズ・マター〉というグループの名前は、われわれに以下のことを伝えている。黒人の命をかくも簡単に勝手に消すことはできないこと。白人優越論者が実際に黒人の命をないがしろにする行動に出れば、それに対抗すること。黒人の命を象徴的に記録し喪の対象にする際、われわれは、たとえその故人を個人的に知らなくても、その命はここで断ち切られるべきではなかったと断言すること。これらの死は犯罪的行為そのものであること。そして、警察や他の加害者は説明責任を果たすべきであること、いや、それどころか、警察そのものを解体すべきであること。

〔第二のポイント。〕具体的な政治的提案は悲嘆可能性を主張することから生まれる。だが、悲嘆可能性の政治はこの主張をもって完結するのではない。適切な住居も保健医療もない状態でウィルスにさらされ「死ぬまで放置」される人々の場合、この政治はより困難なものとなる。

死を許容するというやり方は、市場を機能させるには一定数の死者が出てもやむをえないという、市場的合理性にもとづく暗黙の政治方針でもある。いまや表舞台から姿を消した合衆国の前大統領〔ドナルド・トランプ〕は、大統領在任時に集団免疫を支持した。彼は優生学の思想をよみがえらせ、強者と富者が生き残ること、貧者および彼の目に「弱者」とうつる人々が死ぬことを受け入れたのである。「ウィルスの自由に任せろ！」は彼のスローガンのひとつであった。翻訳すれば、「経済が健康を維持するために、この病で死ぬひとは死なせておけばよい。なぜなら、このきわめて傷つきやすい人々の健康よりも経済の健康のほうが重要であるからだ」となる。これは不誠実なマルサス主義であり、また、彼自身の命を奪いかねなかった――実際ほとんど奪っていた――死の欲動の嬉々とした現れであった。

〈ブラック・ライヴズ・マター〉と同じように〈もうひとりも殺させない〉は、家庭内暴力や家庭内レイプをふくむ女性への暴力に反対するためにデモを行っている。だが、その基本方針は複雑であり、政治的なものに関する新しいヴィジョンを導入している。その運動は独裁政権、現在みられる様々な修正主義、女性をめぐる賃金の不平等、資本主義的搾取、採取主義《エクストラクティヴィズム》〔輸出目的のために最小限の加工で天然資源を採取すること〕に反対する。また、共通の活動について決定をくだす開かれた議会と集会《アセンブリーズ》というかたちで根源的な民主主義を推し進める。これは、アフガニスタンの最後の独裁者が倒れたあと街路に出現した、自然発生的な議会を思い起こさせる。この運動は地域横断的にオンラインによって、そしていうまでもなく、新たな出版物およびオンラインでの新たな集いを通じて、その連帯を拡張し、それによってパンデミック下のロックダウンを生き延びる。もちろん〈もうひとりも殺させない〉は街路におもむくだけでなく、街路を乗っ取る。これにより警察はアルゼンチンの街路にいられなくなる。類似した集まりは、エクアドル、チリ、コロンビア、プエルトリコ、メキシコの街路を覆っていった。そして、フェミニスト・ストライキの提案をふくんだこの運動は、イタリアとトルコにまで達した。こうした大きな集まり（ときにはラテン・アメリカの街路で三百万もの人々が集まった）は、現在では起こりえない大規模で親密な人々の集まりを必要とした。だが、いまも引き続き起こっているのは、（a）運動とその過去および未来についての省察であり、（b）様々な本の出版である。出来事および進行中の集団的活動としてのフェミニスト・ストライキの条件を説明する、英語で出版されたヴェロニカ・ガゴの『ザ・フェミニスト・インターナショナル』は、後者の一例である。[1] 政治運動は会合という出来事にはおさまらない。それはネットワークが形成されるなかで現れるものであり、読むことと書くことはそれ自体フェミニズムの革命的プロジェクトの一端である。パンデミック期においてはとくに、ローザ・ルクセンブルクの政治思想を再評価したガゴの考察を思い出すことが重要である。ガゴによれば、ストライキはつねに行為や出来事を凌駕する。ストライキは様々な一時的な出来事が向かうべき方向を表示し、そこからは新たな時間的地平が発生するから、あるいは発生する可能性があるからである。スローガンと会合はこの新しい社会性を明確に表現しはじめる。ガゴにとっては「革命へのジェスチャー」が蜂起とストライキ両方の鍵なのである。[2] 女たちは家を離れ街へ繰り出すが、たとえ多くの女性が家庭という閉域に押し戻されてしまったとしても、人々のきずなを生み出す方法と、未来の前兆あるいは予想図となる人々のあいだの社会的つながりを構築し続ける方法は、なおも存在する。ガゴにとってフェミニスト・ストライキは、「特定の状況に置かれた、集団的知性の装置」として理解される一般集会《ジェネラル・アセンブリ》（the *assemblea*）と結びついている。この装置は、共通問題だけでなく構築すべき共通世界について一団となって考えるための場と実践を意味している。[3] ローザ・ルクセンブルクの遺産を現代にいかすべく再検討するガゴは、革命の実践を、新自由主義下の財政に対する批判に、植民地の占有に対する批判に、そして、女性、トランスジェンダー、トラヴェスティ、不安定就労者、土着住民に向けられる家父長制的な国家テロリズムに対する批判に、結びつける。多方面にわたる理論と実践がこの知的作業に関係するようになるが、それだけではない。いちいち会合や集会《アセンブリ》にたよらない地域横断的な協力関係もまた関係する。実際、分析が特定地域にしばられない横断的なものになるためには、身体的接触をともなう会合は原則として必要条件にならない。こんにちもっとも重要なのは、情動と行為の関係を生き生きとしたものにする行為、反感と憤怒を集団の能力と革命の徴候に変える行為である。骨の折れる小さな行為の力が積み重なってはじめて、革命を生み出す力が活発にはたらくのだ。これと同じくらい重要なのは、生を活気づけたいという欲求――すなわち、女性、黒人、プエルトリコ系の人々、トランスジェンダーやクィアの人々、所属する政治集団が原因で罰せられたり失踪したりする人々、等々の殺害に終止符を打つといった、生存のための条件を求めること――である。したがって、性的暴力に対する抵抗は、独裁制および新自由主義的な財政体制のもとで国家が振るう暴力と関連している。

大きなデモがうまくいくためには、舞台裏での活動が必要である。アリシア・ガーザが〈ブラック・ライヴズ・マター〉について明確に述べているように（この標語を作ったのは彼女である）、政治の仕事の本質は、出来事が起こったときにただちに会合がもたれるように、労を惜しまず積極的に同盟関係を築いておくことである。同盟のネットワークはあらゆる会合の必要条件であると同時に会合を凌駕するものであるが、ネットワーク全体がただちに姿を現わすことはない。

同盟は、二〇二〇年と二〇二一年に互助会、非核ポッド、拡大するケア・ネットワークを通じて現れていたものである。[4] ロンドンのフェミニスト・アクティヴィストたちと作家たちが共同で書いた『ケア宣言』は、ケアを私的で孤立した活動としてではなく、グローバルな実践と慣習を変え世界を変容させる可能性をもった、ある種の力として考えるように要求する。女性らしさの本質に関する思弁に背を向けた、「ケア」への参加の呼びかけは、新自由主義の利益追求を爽快に批判することによって、ガゴの革命的フェミニズムと共鳴する。『ケア宣言』は親族関係の変容を、ジェンダーにもとづく分業およびエコロジーにかかわるアクティヴィズムに結びつける。そして、その際によりどころとなるのがフェミニストの理想とする相互依存であり、この理想は対関係モデルを超えて間主観性の入り組んだ織物へと移動することを旨とする。[5] 著者であるキャサリン・ロッテンバーグとリン・シーガルは、緊急時における反省の能力は政治にとって必要不可欠であると断言する。[6] 彼女たちはまた、ケア〔care〕の語源が関心、不安、悲しみ、悲嘆、そして困難を意味する〔古英語の〕*caru* であることをわれわれに意識させることによって、ケアおよびケア・ワークがもつ複雑な精神分析的特徴を浮かび上がらせる。[7] これはメルロ＝ポンティ自身の言い分ではないと思うのだが、彼女たちの次の主張は明確である。ケアによってわれわれはたがいに他者の生に関与する。その意味でケアは現代の希望となる政治のありかたを示し、それを活気づけるのだ、と。この政治を体現しているのは、困っているひとに移動手段、食料、住居を提供する政府機関の外側で機能しているケア・ネットワークであり、重大な物質的効果を生み出すオンライン・ネットワークを通じてサポート体制を拡大し、インフラの崩壊や不在に対して新しい社会インフラの構築をもってこたえるケア・ネットワークである。この運動の規範的原則となるのは、すでに述べたように、相互依存、社会的連帯、革命的な批判行為である。これらの原則は、生のための、生き続けるための、共生のための条件を提示しようとしている。ケアの連帯は残虐な殺人に反対し、人々の死を放置することに反対する。だが、〈ブラック・ライヴズ・マター〉においても〈もうひとりも殺させない〉においても、倫理的義務としての殺害への抵抗が実質的なものになるのは、その抵抗が制度的不平等および制度的搾取に対する批判と抵抗に結びつくかぎりにおいてである。(8)

ここで簡単に付け加えたい。われわれが生の悲嘆可能性の不平等な分配を認識すれば、平等と暴力をめぐるわれわれの議論は変容するだろうし、この二つの領域のつながりはしっかりと理解されるだろう、と。生きようと努力し生きるための条件を確保しようと努力する身体、その生きる努力がそのまま思考の中身となり変容をうながす抵抗の中身となるような身体が、平等と生存可能性を主張し要求すること——平等と生存可能性がわれわれの世界一般の特徴となるために必要なのは、これである。

デルタ株が衰えてオミクロン株が増加していた(デルタクロン株が現れる前の)二〇二二年冬の北アメリカでは、パンデミックは終わったと世に喧伝《けんでん》されていたが、それはあきらかに現実認識ではなく希望的観測であった。多くの国と地域でワクチンが普及していない現状をふまえたとき、これまで以上に重要なのは、人種差別に陥ったグローバルな不平等によっていかにパンデミックの歴史を語る際のポジションが確立されるかを理解することである。パンデミックにけりをつけて個人の思いどおりに生きる状態に戻ることを「権利」とみなす人々のあいだで怒りが高まっていると、合衆国とイギリスのメディアは報道する。イギリスであらゆる感染予防措置が撤廃されたあとに生じた異常な浮かれ騒ぎは、無防備な人々を犠牲にして、また、COVID-19が収まったあとに生じる長期的影響を気にもかけずに、群衆のなかを自由に動き回る個人の自由を言祝《ことほ》いでいるように思われた。この種の自由は、個人への正当な権利付与として表現される。すなわちそれは、国家との関係および健康に関する国家の命令との関係を断つ権利として、自分で病気になりまた他者を病気にする権利として、死の蔓延が個人の望みであり個人の自由の表現であるという条件のもとで死を広める権利として、表現されるのだ。破壊は個人の力の究極のしるしであって、自由のしるしではない——ウラジーミル・プーチンならこの言葉に間違いなく同意するだろう。憤怒によって、共通《コモン》の生あるいは共有された生、集団的自由という理想、大地と生き物——人間をふくむ——に対するケアが放棄されるとき、憤怒は個人的自由の表明である。憤怒は、個人であることを皮膚によって縛られた——個々別々に分離した——状態とみなす、個人的自由に関する考え方の最後のあえぎかもしれない。この考え方は、いうなれば、個人の消費と快楽を促進する場合を除いてあらゆる開口部を閉じるという空想、世界を取り入れるものと世界に取り入れられるものは自分ひとりが管理でき決定できるという空想である。そうした「個人」は、自分は有毒な空気や土から、病原菌やバクテリアから隔てられていると思い込んでいる。多孔性という特徴をもつ身体は純然たる境界線ではないし、純然と開かれているわけでもない。それは、その二つの状態のあいだの複雑な駆け引きであり、呼吸、食べ物、消化、幸福――つまり、セクシュアリティ、親密さ、たがいの身体の取り込み、にとって満足のいく状態――が（自分にとっての、世界の、世界による）必要条件となる生の様態のなかに位置づけられている。われわれは生きていくためにたがいを必要とする。いいかえれば、他人の気孔の内部に取り込まれる必要があり、他人を取り込む必要がある。というのも、われわれが世界に対して開かれたものとして、境界の定まった自己とその自己のいだく奇想の外側で生きている場所とは、まさにそうしたところであるからだ。要するに、われわれは、われわれを支える世界との、ひとつの大地との、人間の居住地をふくむその大地の生物環境との、関係のなかで生きている。この生物環境は、世界に積極的にかかわる政治に支えられている。ここでいう世界とは、われわれみなが感染、汚染、警察による背後からの首絞めを恐れることなく呼吸できる場所、われわれの呼吸が世界の呼吸と混ざり合う場所、自由でシンコペーションの効いたこの呼吸の交換が共有されたもの――いわば、われわれのコモン――となる場所である。

原注

序論

（1）Stefano Harney and Fred Moten, *The Undercommons: Fugitive Planning and Black Study* (New York: Minor Compositions, 2013), https://www.minorcompositions.info/wp-content/uploads/2013/04/undercommons-web.pdf.

（2）Harney and Moten, *The Undercommons*.

（3）Jacques Rancière, *Dissensus: On Politics and Aesthetics*, trans. Steven Corcoran (London: Continuum, 2010), 33.

（4）“Hospitalization and Death by Race/Ethnicity,” COVID-19, Centers for Disease Control and Prevention, last modified June 17, 2021, https://www.cdc.gov/coronavirus/2019-ncov/covid-data/investigations-discovery/hospitalization-death-by-race-ethnicity.html.

（5）“Vaccine Nationalism & The Political Economy of the COVID-19,” The Moldova Foundation, published March 9, 2021, https://www.moldova.org/en/vaccine-nationalism-the-political-economy-of-covid-19/.

（6）理解の「地平」に関する、ハンス＝ゲオルク・ガダマーによる理論的説明は以下から得られる。Hans-Georg Gadamer, *Truth and Method*, trans. Joel Weinsheimer and Donald G. Marshall (New York: Bloomsbury, 2013).〔ハンス・ゲオルク・ガダマー『真理と方法——哲学的解釈学の要綱』全三巻、轡田収ほか訳、法政大学出版局、二〇一二年〕

（7）Sindre Bangstad and Tobjørn Tumyr Nilsen, “Thoughts on the Planetary: An Interview with Achille Mbembe,” *New Frame*,

September 5, 2019, https://www.newframe.com/thoughts-on-the-planetary-an-interview-with-achille-mbembe/.

（8）Bangstad and Nilsen, "Thoughts on the Planetary."（強調は引用者による）

（9）Christopher Prendergast, ed. *Debating World Literature* (London: Verso, 2004); and Emily Apter, *Against World Literature: On the Politics of Untranslatability* (London: Verso, 2013). 以下も参照。Deborah Dankowski and Eduardo Viveiros de Castro, *The Ends of the World*, trans. Rodrigo Nunes (Cambridge, Mass.: Polity Press, 2017).

（10）María Lugones, "Playfulness, 'World'-Travelling, and Loving Perception," *Hypatia* 2, no. 2 (1987): 3-19.

（11）どんな場合でも苦痛を軽減する力をもつ人々に対して科学教育を提供しようとする、些細ではあるが真剣な努力については、たとえば「境界なきパラサイト」のウェブサイトを参照。https://parasiteswithoutborders.com/daily-covid-19-updates/.

（12）Thomas Pradeu, *The Limits of the Self: Immunology and Biological Identity*, trans. Elizabeth Vitanza (Oxford: Oxford University Press, 2012). を参照。プラデュは自己／非自己の二元論を受け入れる免疫学の枠組みを批判し、有機体の免疫システムにおける反応パターンと記憶を強調する連続性テーゼを支持している。要するに、外的世界の影響と侵入は有機体とその反応機能の構築に役立つのである。プラデュは、そのシステムに対する免疫学的な攻撃は内因的でも外因的でもありうること、また、攻撃を構成するのは確立された相互作用のパターンの破綻であることを強調している。ゆえに問題は、異質なものの受け入れあるいは拒絶ではない。そうではなく、そのシステムに対する未知の攻撃のあとに続く、新しい相互作用のパターンの創出である。したがって、COVID-19というウィルスは、それを「中国ウィルス」と呼ぶ人々が暗示しているように外来性の問題ではなく、前例がないことの問題である。このウィルスは新しいものとして、われわれの免疫システムも新しくなることを要求する。以下も参照。Thomas Pradeu, *The Philosophy of Immunology* (Cambridge: Cambridge University Press, 2020), https://www.cambridge.org/core/elements/philosophy-of-immunology/06F0C341035299674EECF0406E5D8E31. プラデュはこの本で、外部世界からのバクテリアは消化、器官の働き、細胞組織の修復にとってなくてはならないと念を押す。さらに彼はこう述べる。「防御」は免疫システムの決定的で絶対的な特徴ではない。なぜなら、免疫システムの働きは「異種混交的な構成要素」に依存するだけでなく、自己の統合のためにそうした要素を必要とするからである、と。つまり統合という概念は、その定義に異種混交性をふくまなければ、意味をなさない。

(13) たとえば、Anne Fausto-Sterling, *Sex/Gender: Biology in a Social World* (New York: Routledge, 2012). を参照。

(14) プラデュによれば「免疫は有機体がもつ、病原菌に対する防御能力として歴史的に理解されてきた。そして、この免疫の防御メカニズムがあらゆる種に見出されてきた。……免疫システムの働きは防御活動に還元できないし、それを基礎にしたのでは免疫に関する考え方を拡張できない」。さらに彼はこう主張する。免疫プロセスの進化を説明する際の、そして免疫システムにひとつだけ機能を割り当てる際の議論の錯綜は、たがいに不連続な諸機能からなる複合体とプロセスにおいて防御がひとつのファクターにすぎないことを示している、と。(*The Philosophy of Immunology*)

(15) Ludwig Wittgenstein, *Tractatus Logico-Philosophicus*, trans. C. K. Ogden (Mineola, N.Y.: Dover, 1999), 6.43.〔ウィトゲンシュタイン『論理哲学論考』野矢茂樹訳、岩波書店、二〇〇三年、六・四三〕

(16) Wittgenstein, *Tractatus Logico-Philosophicus*.〔ウィトゲンシュタイン『論理哲学論考』六・四三〕

(17) Wittgenstein, *Tractatus Logico-Philosophicus*.〔ウィトゲンシュタイン『論理哲学論考』六・四三〕

(18) Martin Heidegger, "The Age of the World-Picture," in *The Question Concerning Technology and Other Essays*, trans. William Lovitt (New York: Harper & Row, 1977), 129.〔マルティン・ハイデッガー『ハイデッガー選集13 世界像の時代』桑木務訳、理想社、一九八〇年、二九頁〕

(19) Heidegger, "The Age of the World-Picture," 132-134.〔ハイデッガー『世界像の時代』三三―三七頁〕

第一章　世界感覚——シェーラーとメルロ＝ポンティ

(1) Sigmund Freud, *Reflections on War and Death*, trans. A. A. Brill and Alfred B. Kuttner (New York: Moffat Yard, 1918).〔フロイト「戦争と死に関する時評」、『人はなぜ戦争をするのか——エロスとタナトス』中山元訳、光文社、二〇〇八年〕このシェーラーのエッセイの英語訳としてもっとも手に入れやすいのは"On the Tragic," in *The Questions of Tragedy*, ed. Arthur B. Coffin (San Francisco: Edwin Mellen Press, 1991), 105-126. である。しかし本論文では次のテクストから引用する。Max Scheler, "On the Tragic," trans. Bernard Stambler, *Cross Currents* 4, no. 2 (Winter 1954): 178-191. 私自身によるドイツ語からの英訳はそれとわかるように表示する。原典は以下を参照している。"Bemerkungen zum Phänomen des Tragischen," in Max

Scheler, *Gesammelte Werke*, Band 3 (Franke Verlag, 2007), 277-302.〔シェーラー「悲劇的なものの現象に寄せて」新畑耕作訳、『シェーラー著作集4　価値の転倒（上）』飯島宗享／小倉志祥／吉沢伝三郎編、白水社、二〇〇二年、二三一―二六三頁〕

（2）Ludwig Landgrebe, "The World as a Phenomenological Problem," *Philosophy and Phenomenological Research* 1, no. 1 (September 1940): 38-58.

（3）Jean-Paul Sartre, *The Transcendence of the Ego: A Sketch for a Phenomenological Description*, trans. Andrew Brown (Milton Park, Abingdon, Oxon: Routledge, 2004)〔J-P・サルトル『自我の超越　情動論粗描』竹内芳郎訳、人文書院、二〇〇〇年〕; and Aron Gurwitsch, *Studies in Phenomenology and Psychology* (Evanston, Ill.: Northwestern University Press, 1966).

（4）Edmund Husserl, *The Phenomenology of Internal Time Consciousness* (Bloomington: Indiana University Press, 1964), 98-128.〔エドムント・フッサール『内的時間意識の現象学』立松弘孝訳、みすず書房、一九六七年、九六―一二八頁〕

（5）Scheler, "On the Tragic," 178.（強調は引用者による）〔シェーラー「悲劇的なものの現象に寄せて」二三三頁〕

（6）Scheler, "On the Tragic," 180.〔シェーラー「悲劇的なものの現象に寄せて」二三七頁〕

（7）Scheler, "On the Tragic,"182.〔シェーラー「悲劇的なものの現象に寄せて」二四〇頁〕

（8）Scheler, "On the Tragic," 182.〔シェーラー「悲劇的なものの現象に寄せて」二四一頁〕

（9）Scheler, "On the Tragic," 182.〔シェーラー「悲劇的なものの現象に寄せて」二四一頁〕

（10）Scheler, "On the Tragic," 182; in German, 278.〔シェーラー「悲劇的なものの現象に寄せて」二四一頁〕

（11）Scheler, "On the Tragic," 182.〔シェーラー「悲劇的なものの現象に寄せて」二四一頁〕

（12）Scheler, "On the Tragic," 182.〔シェーラー「悲劇的なものの現象に寄せて」二四一―二四二頁〕

（13）Scheler, "On the Tragic," 187.〔シェーラー「悲劇的なものの現象に寄せて」二五三頁〕

（14）以下を参照。https://blacklivesmatter.com/; and Barbara Ransby, *Making All Black Lives Matter: Reimagining Freedom in the Twenty-First Century* (Oakland: University of California Press, 2018); and Alicia Garza, *The Purpose of Power: How We Come Together When We Fall Apart* (New York: Penguin Random House, 2021).

（15）Maurice Merleau-Ponty, "Eye and Mind," in *The Primacy of Perception and Other Essays on Phenomenological Psychology, the Philosophy of Art, History and Politics*, ed. James M. Edie, trans. Carleton Dallery (Evanston, Ill.: Northwestern University Press, 1964), 162-163.〔M・メルロ＝ポンティ「眼と精神」、『眼と精神』滝浦静雄／木田元訳、みすず書房、一九六六年、二五八―二五九頁〕

(16) Maurice Merleau-Ponty, "The Intertwining—The Chiasm," in *The Visible and the Invisible*, ed. Claude Lefort, trans. Alphonso Lingis (Evanston, Ill.: Northwestern University Press, 1968), 147, 148.〔M・メルロ＝ポンティ『見えるものと見えないもの』滝浦静雄／木田元訳、みすず書房、一九八九年、二〇四頁、二〇五頁〕

第二章　パンデミックにおける権力 ――制限された生活をめぐる省察

(1) 気候変動がパンデミックの可能性を高めることについては以下を参照。Damian Carrington, "World Leaders 'Ignoring' Role of Destruction of Nature in Causing Pandemics," *Guardian*, June 4, 2021, https://www.theguardian.com/world/2021/jun/04/end-destruction-of-nature-to-stop-future-pandemics-say-scientists; and Rasha Aridi, "To Prevent Future Pandemics, Protect Nature," *Smithsonian Magazine*, October 30, 2020, https://www.smithsonianmag.com/smart-news/protecting-nature-will-protect-us-how-prevent-next-pandemic-180976177/. 気候破壊に対抗するためにパンデミックから得られる教訓については以下を参照。David Klenert, Franziska Funke, Linus Mattauch, and Brian O'Callaghan, "Five Lessons from COVID-19 for Advancing Climate Change Mitigation," *Environmental and Resource Economics* 76 (2020): 751-778, https://doi.org/10.1007/s10640-020-00453-w; and Krystal M. Perkins, Nora Munguia, Michael Ellenbecker, Rafael Moure-Eraso, and Luis Velasquez, "COVID-19 Pandemic Lessons to Facilitate Future Engagement in the Global Climate Crisis," *Journal of Cleaner Production* 290 (2021): 125178, https://doi.org/10.1016/j.jclepro.2020.125178.

(2) 賃労働と資本主義下の労働者の貧困化とのあいだの関係をするどく解説した初期の文献はマルクスの「一八四四年の経済学・哲学草稿」である。"Economic and Philosophic Manuscripts of 1844," in *Karl Marx / Friedrich Engels Collected Works*, vol. 3, trans. Martin Milligan and Dirk Struik (New York: International Publishers, 1975), 229-376.〔マルクス『経済学・哲学草稿』城塚登／田中吉六訳、岩波書店、一九六四年〕

(3) Maurice Merleau-Ponty, “The Intertwining—The Chiasm,” in *The Visible and the Invisible*, ed. Claude Lefort, trans. Alphonso Lingis (Evanston, Ill.: Northwestern University Press, 1968), 130-155.〔M・メルロ=ポンティ『見えるものと見えないもの』滝浦静雄／木田元訳、みすず書房、一九八九年、一八一—二二五頁〕

(4) メルロ=ポンティの探求とも共鳴するこのポイントは、ジル・ドゥルーズが説得力をもって主張している。Gilles Deleuze, “What Can a Body Do?” in *Expressionism in Philosophy: Spinoza*, trans. Martin Joughin (New York: Zone, 1992), 217-234.〔ジル・ドゥルーズ『スピノザと表現の問題』工藤喜作／小柴康子／小谷晴勇訳、法政大学出版局、一九九一年、二二一—二四〇頁〕

(5) María Lugones, “Playfulness, ‘World’-Travelling, and Loving Perception,” *Hypatia* 2, no. 2 (1987): 3-19. を参照。

(6) アドルノの仕事全般に現れる自然史という概念の予備的な説明については以下を参照。Theodor W. Adorno, “The Idea of Natural-History,” in *Things Beyond Resemblance: Collected Essays on Theodor W. Adorno*, ed. and trans. Robert Hullot-Kentor (New York: Columbia University Press, 2006), 251-270.〔テオドール・W・アドルノ「自然史の理念」、『哲学のアクチュアリティ——初期論集』細見和之訳、みすず書房、二〇一一年、三九—八四頁〕

(7) Tina Chen, *Fomites and the COVID-19 Pandemic: An Evidence Review on Its Role in Viral Transmission* (Vancouver, B.C.: National Collaborating Centre for Environmental Health, February 2021), https://ncceh.ca/documents/evidence-review/fomites-and-covid-19-pandemic-evidence-review-its-role-viral-transmission.

(8) Tedros Adhanom Ghebreyesus and Ursula von der Leyen, “A Global Pandemic Requires a World Effort to End It—None of Us Will be Safe Until Everyone Is Safe,” *World Health Organization*, September 30, 2020, https://www.who.int/news-room/commentaries/detail/a-global-pandemic-requires-a-world-effort-to-end-it-none-of-us-will-be-safe-until-everyone-is-safe.

(9) 最後の四つの段落は以下からとられている。Judith Butler, “Creating an Inhabitable World for Humans Means Dismantling Rigid Forms of Individuality,” *Time*, April 21, 2021, https://time.com/5953396/judith-butler-safe-world-individuality/.

第三章　絡み合い　――倫理および政治としての

（1）フッサール現象学における「括弧入れ」は、世界についての自明視された前提を、主題的問題としての世界を失うことなく疑問視することをともなう。現象学的「還元」の一部であるこの括弧入れは世界から退くことであると解釈するひともいる。だが、括弧入れにおいて目指されているのは、世界の本質と、われわれが世界について獲得する自然化された前提の本質とを把握することを可能にする視点から、世界と世界に関するわれわれの前提とにアプローチすることである。Maurice Natanson, *Edmund Husserl: Philosopher of Infinite Tasks* (Evanston, Ill.: Northwestern University Press, 1973), 56-62.

（2）Max Scheler, "On the Tragic," trans. Bernard Stambler, *Cross Currents* 4, no. 2 (Winter 1954): 178-191.

（3）Ludwig Landgrebe, "The World as a Phenomenological Problem," *Philosophy and Phenomenological Research* 1, no. 1 (September 1940): 51.

（4）ボーヴォワールは、メルロ＝ポンティの『知覚の現象学』から引用された関連する一節への補足として、こう書いている。「女も、男と同じように、自分の身体である。しかし、女の身体は女自身とは別のモノなのである」。また、そのすこしあとで、こう述べている。「メルロ＝ポンティがきわめて的確に述べているように、人間とは自然の種ではなく、歴史的観念なのだ。女は固定した現実ではなく、生成である。女を男と比較する場合も女を生成として捉えなければならない。つまり、女の可能性を明確にするべきなのである」。Simone de Beauvoir, *The Second Sex*, ed. and trans. H. M. Parshley (New York: Vintage, 1989), 19, 34.〔ボーヴォワール『決定版　第二の性――I　事実と神話』、『第二の性』を原文で読み直す会訳、新潮社、二〇〇一年、八一頁、八八頁〕

（5）Iris Marion Young, "Throwing Like a Girl: A Phenomenology of Feminine Body Comportment Motility and Spatiality," *Human Studies* 3, no. 2 (April 1980): 137-156.

（6）Lisa Guenther, *Solitary Confinement: Social Death and Its Afterlives* (Minneapolis: University of Minnesota Press, 2012). を参照。

（7）Guenther, *Solitary Confinement*, xiii.

（8）Lisa Guenther, "The Biopolitics of Starvation in California Prisons," *Society + Space*, August 2, 2013, https://www.societyandspace.org/articles/the-biopolitics-of-starvation-in-california-prisons.

（9）Angela Y. Davis, Gina Dent, Erica R. Meiners, and Beth E. Richie, *Abolition. Feminism. Now* (Chicago: Haymarket, 2021) と *Critical Resistance* を参照。後者は一九七九年以来の監獄廃止論フェミニズムを記録し推進してきた社会運動と機関誌である。

（10）Lisa Guenther, "Six Senses of Critique for Critical Phenomenology," *Puncta* 4, no. 2 (2021): 16.

（11）Gayle Salamon, "What's Critical About Critical Phenomenology?" *Puncta, A Journal of Critical Phenomenology* 1, no. 1 (2018).

（12）ここで問題にしているのは Salamon, "What's Critical About Critical Phenomenology?" で引用されているフーコーであり、また、以下で引用されているフーコーである。Arnold I. Davidson, "Structures and Strategies of Discourse: Remarks Toward a History of Foucault's Philosophy of Language." In *Foucault and His Interlocutors*, ed. by Arnold I. Davidson, (Chicago: University of Chicago Press, 1997), 1-20.

（13）Gail Weiss, Ann V. Murphy, and Gayle Salamon, eds., *50 Concepts for a Critical Phenomenology* (Evanston, Ill: Northwestern University Press, 2019).

（14）Frode Kjosavik, Christian Beyer, and Christel Fricke, eds., *Husserl's Phenomenology of Intersubjectivity: Historical Interpretations and Contemporary Applications* (New York: Routledge, 2019).

（15）Denise Ferreira da Silva, "On Difference Without Separability," *Issuu*, November 17, 2016, https://issuu.com/amilcarpacker/docs/deniseferreira da_silva.

（16）Stephen J. Smith, "Gesture, Landscape and Embrace: A Phenomenological Analysis of Elemental Motions," *Indo-Pacific Journal of Phenomenology* 6, no. 1 (2006): 1-10, http://dx.doi.org/10.1080/20797222.2006.11433914.

（17）ティム・クレインは「志向性という概念の歴史」において、志向性〔intentionality〕の語源である "intentio" について書いている。それは

一三世紀と一四世紀のスコラ哲学者によって、概念を意味する専門用語として用いられた。この専門用語は二つのアラビア語の翻訳語であった。ひとつはギリシア語の *noema* にアルファーラービー〔八七八〜九五〇年、アラブの哲学者〕が当てた訳語 *ma' qul*、もうひとつは、思考において精神の前に在るものを指すアヴィセンナ〔九八〇〜一〇三七年、アラブの哲学者〕の用語 *ma' na* である（アルファーラービーの第三節、イブン・シーナー〔アヴィセ

ンナのアラビア語名」の第三節を参照）。この文脈において、*noema*、*ma'qul*、*ma'na*、*intentio* は大まかに同義語とみなされる。それらはみな、概念、観念、なんであれ思考において精神の前に在るもの、を意味する用語として意図されている（Kundsen 1982 を参照）。学者たちは *intentio* を「intention」と英訳する。だが、つねに肝に銘じておくべきは、日常的な観念としての意図という意味合いを込めるつもりでこの訳語が当てられたのではない、ということである。

Tim Crane, "The History of the Concept of Intentionality," in *The Routledge Encyclopedia of Philosophy* (London: Taylor and Francis, 1998), https://www.rep.routledge.com/articles/thematic/intentionality/v-1/sections/the-history-of-the-concept-of-intentionality.

（18）Maurice Merleau-Ponty, *Humanism and Terror: The Communist Problem*, trans. John O'Neill (New Brunswick, N.J.: Transaction, 2000).〔M・メルロ＝ポンティ『ヒューマニズムとテロル――共産主義の問題に関する試論』合田正人訳、みすず書房、二〇二一年〕以下も参照。Gail Weiss, "Phenomenology and Race (or Racializing Phenomenology)," in *The Routledge Companion to Philosophy of Race*, ed. Paul C. Taylor, Linda Martín Alcoff, and Luvell Abderson (Abingdon, U.K.: Routledge, 2017).

（19）Franz Fanon, "The Fact of Blackness" in *Black Skin, White Masks*, trans. Richard Philcox (New York: Grove, 2008); *Peau noir, masques blancs* (Paris: Editions du Seuil, 1952).〔フランツ・ファノン『黒い皮膚・白い仮面』海老坂武／加藤晴久訳、みすず書房、二〇二〇年〕以下も参照。Alia Al-Saji, "Too Late: Fanon, the Dismembered Past, and a Phenomenology of Racialized Time," in *Fanon, Phenomenology and Psychology*, ed. Leswin Laubscher, Derek Hook, and Miraj Desai (London: Routledge, 2021), 177–193.

（20）Fred Moten, "The Blur and Breathe Books," in *Consent Not to Be a Single Being* (Durham, N.C.: Duke University Press, 2017). を参照。

（21）Catherine Clune-Taylor, "Is Sex Socially Constructed?," in *The Routledge Handbook of Feminist Philosophy of Science*, ed. Sharon L. Crasnow and Kristen Intemann (London: Routledge, 2021). を参照。また Ruth Gilmore, *Golden Gulag: Prisons, Surplus, Crisis, and Opposition in Globalizing California* (Berkeley: University of California Press, 2007) の議論も参照。本書でギルモアは人種

差別を「グループごとに異なる早死にしやすさを、国家公認あるいは法制外のかたちで生み出し搾取すること」（28）と定義している。これらの明察は社会疫学の分野にとってきわめて重要である。

（22）Karl Marx, "Economic and Philosophic Manuscripts of 1844," in *Karl Marx / Friedrich Engels Collected Works*, vol. 3, trans. Martin Milligan and Dirk Struik (New York: International Publishers, 1975), 229-376.〔マルクス『経済学・哲学草稿』城塚登／田中吉六訳、岩波書店、一九六四年〕

（23）Bruno Latour, *Facing Gaia: Eight Lectures on the New Climatic Regime*, trans. Catherine Porter (Malden, Mass.: Polity, 2017).〔ブルーノ・ラトゥール『ガイアに向き合う——新気候体制を生きるための八つのレクチャー』川村久美子訳、新評論、二〇二三年〕; Isabelle Stengers, *In Catastrophic Times: Resisting the Coming Barbarism*, trans. Andrew Goffey (London: Open Humanities Press, with Meson Press, 2015); and Donna J. Haraway, "Tentacular Thinking," in *Staying with the Trouble: Making Kin in the Chthulucene* (Durham, N.C.: Duke University Press, 2016), 30-57.

（24）人的資本については以下を参照。Michel Feher, "Self-Appreciation; or, The Aspirations of Human Capital," trans. Ivan Ascher, *Public Culture* 21, no. 1 (Winter 2009): 21-41.

（25）以下を参照。The Race and Climate Reading List, https://takeclimateaction.uk/resources/race-and-climate-reading-list.

第四章　生者にとっての悲嘆可能性

（1）Judith Butler, *The Force of Nonviolence: An Ethico-Political Bind* (London: Verso, 2020).〔ジュディス・バトラー『非暴力の力』佐藤嘉幸／清水知子訳、青土社、二〇二二年〕

（2）Sigmund Freud, "Mourning and Melancholia," in *The Standard Edition of the Complete Psychological Works of Sigmund Freud*, vol. 14, trans. James Strachey (London: Hogarth, 1957), 255.〔フロイト「喪とメランコリー」、『人はなぜ戦争をするのか——エロスとタナトス』中山元訳、光文社、二〇〇八年、一二六頁〕

（3）Judith Butler, *Gender Trouble: Feminism and the Subversion on Identity* (New York: Routledge, 1990), 73-84.〔ジュディス・バトラー『ジェンダー・トラブル——フェミニズムとアイデンティティの攪乱』竹村和子訳、青土社、一九九九年、一〇八—

二二一頁〕〔バトラーは二〇〇六年出版の Routledge Classics 版を参照していると思われる。〕
（4）Butler, *Gender Trouble*, 88.〔バトラー『ジェンダー・トラブル』、二二五―二二六頁〕
（5）Alexander Mitscherlich and Margarete Mitscherlich, *The Inability to Mourn: Principles of Collective Behavior*, trans. Beverley R. Placzek (New York: Grove, 1975).
（6）Judith Butler, *Precarious Life: The Powers of Mourning and Violence* (London: Verso, 2004)〔ジュディス・バトラー『生のあやうさ――哀悼と暴力の政治学』本橋哲也訳、以文社、二〇〇七年〕; and Judith Butler, *Frames of War: When Is Life Grievable?* (London: Verso, 2009).〔ジュディス・バトラー『戦争の枠組――生はいつ嘆きうるものであるのか』清水晶子訳、筑摩書房、二〇一二年〕
（7）Jacques Derrida, "The 'World' of the Enlightenment to Come (Exception, Calculation, Sovereignty)," trans. Pascale-Anne Brault and Michael Naas, *Research in Phenomenology* 33 (2003): 25.
（8）以下を参照。Immanuel Kant, *The Metaphysics of Morals*, ed. and trans. Mary Gregor (Cambridge: Cambridge University Press, 1996), 6:318-6:320, 6:311-6:335.〔『カント全集11　人倫の形而上学』樽井正義／池尾恭一訳、岩波書店、二〇〇二年、一六一―一六五頁、一五二―一八四頁〕
（9）Cf. Judith Butler, "Hannah Arendt's Death Sentences," *Comparative Literature Studies* 48, no. 3 (2011): 280–295.

あとがき ――変容

（1）Verónica Gago, *Feminist International: How to Change Everything*, trans. Liz Mason-Deese (London: Verso, 2020).
（2）Gago, *Feminist International*, 44.
（3）Gago, *Feminist International*, 155.
（4）Dean Spade, *Mutual Aid: Building Solidarity During This Crisis (and the Next)* (London: Verso, 2020).
（5）The Care Collective, Andreas Chatzidakis, Jamie Hakim, Jo Littler, Catherine Rottenberg, and Lynne Segal, *The Care Manifesto: The Politics of Interdependence* (London: Verso, 2020).

（6）以下を参照。Catherine Rottenberg and Lynne Segal, "What Is Care?" Goldsmiths Press, accessed July 10, 2021, https://www.gold.ac.uk/goldsmiths-press/features/what-is-care/.

（7）The Care Collective et al., *The Care Manifesto*, 27.

（8）Natalie Alcoba and Charis McGowan, "#NiUnaMenos Five Years On: Latin America as Deadly as Ever for Women, Say Activists," *Guardian*, June 4, 2020, https://www.theguardian.com/global-development/2020/jun/04/niunamenos-five-years-on-latin-america-as-deadly-as-ever-for-women-say-activists.

訳者あとがき

二〇二〇年にはじまるコロナ禍のようなパンデミックが起こるこの世界は、どんな世界なのか。ジュディス・バトラーは、現象学者マックス・シェーラーのエッセイ「悲劇的なものの現象に寄せて」に依拠しつつ、この問いにこう答える。それは「悲劇的なもの」を現象させる世界である、と。「悲劇的なもの」とは何だろうか。シェーラーは、バトラーが引用していない或る箇所で、わかりやすい比喩を用いて説明している。「ある画廊が、この画廊の絵を維持するためにしつらえられたほかならぬ暖房装置から出た火災によって、破壊されたとしよう。このような事態は認めえないほどではあるが、すでにある悲劇的な性格を帯びている」(「悲劇的なものの現象に寄せて」二四五―二四六頁［書誌情報は本書第一章の注(1)を参照。以下「悲劇的なもの」と略記］)。絵の保存に欠かせない装置は、同時に絵を破壊する装置にもなる。シェーラーは、悲劇的なものの現象においてはいつでも或る「価値」が破壊されるといっているが、火事で消失する絵はこの「価値」の隠喩であろう。同じことは、われわれの住む世界にもいえる。われわれは生きるために呼吸をし、物の表面に触れ、ひとと接触する。だが、このほかならぬ、生を維持するために必要な条件は、生の破壊としてのパンデミックを生む条件にもなる。シェーラーはこうした逆説、生の可能性の条件と不可能性の条件との短絡に世界の素性《そせい》を見出し、それが「価値の破壊」として感覚的に現象することを「悲劇的」と呼んだ。

バトラーがシェーラーを導入したことの意義は大きい。第一に、バトラーはシェーラーとともに、現象界は超越論的主体によって構成されるという考え方をしりぞける。悲劇的なものの現象はまさに、世界が超越論的に構成されたものではないという事実をわれわれに突き付ける。この立場によってバトラーは認識論的にも倫理学的にも一貫してカントから距離を置くことになり、さらには、自身でも述べているように、監獄研究などの分野で近年活躍する「批判的現象学」の実践者たちとの連帯を「思いもよらず」強めることになるだろう。第二に、シェーラーの思想は独特のコモンズの概念を可能にする。コモンズは近年、人々が共有し管理すべき富や財（言語、コミュニケーション・インフラなどの文化、森林、原油などの外的自然、遺伝子工学的遺産という内的自然……）を指す用語として用いられているが、バトラーがこの語に込める意味はそれとは（完全にではないが）違っている。「コモンな世界は、われわれがその世界を平等に分かち合うことを意味しない……」（本書、一〇八頁）。ひとことでいえば、われわれにとってコモンなものとは、シェーラーのいう意味での、われわれの住む世界の素性であって、人間もまたその一部なのである。つまり、コモンなものとは「悲劇的なもの」の別名なのだ。バトラーが「コモンの感覚」といういい方をし、それを「世界への所属の感覚」(本書、一〇頁)といいかえるのは、その意味においてである。

だが、バトラーによるシェーラーの受容は、後者の限界を浮上させ、それを乗り越える側面ももっている。シェーラーは「悲劇的な悲哀性は、いわば単純な、肉体感覚を伴わない、興奮のない、ある意味では「満足」と結びついた悲哀である」(「悲劇的なもの」二四三頁[強調は原文])と述べたが、バトラーは逆に「悲劇的な悲哀性」に身体感覚を伴わせるのである。このとき重要な参照項となるのがメルロ゠ポンティである。わたしは超越論的主体であるまえに、「身体に具現した」存在としてある。バトラーはこの身体の特徴を「多孔性」という言葉で表現する。身体は穴だらけであり、その穴を通じて身体の内と外はつながり、身体の境界なるものは幻想であることが判明する。この身体的交通のありようを、バトラーはメルロ゠ポンティのいう「絡み合い」という概念あるいは比喩に接続する。コモンであることとは、他の身体、物と絡み合うことであり、それが生存の条件でもあり、死の条件ともなる。その意味で「悲劇的なもの」の現象を生み出す世界は「肉体感覚を伴わない」どころか、その感覚と一体である。メルロ゠ポンティが「交叉」という比喩形象によって名指した身体間の関係性は「個としての主体を生み出すと同時に解体する」(本書、一〇五頁)。つまり「交叉」もまた「悲劇的なもの」なのであり、ゆえに、われわれが属し且つわれわれのなかにある世界は身体的なのである。

この世界はどんな世界なのか。忘れてならないのは、バトラーにとってこのフレーズはひとつの問いであるだけでなく「抗議の叫び」(本書、一一九頁)でもある、ということだ。今回のパンデミックは「悲劇的なもの」を現象させる世界の構造だけでなく、「悲嘆可能性の不平等な分配」(本書、一四七頁)——喪の対象になる生とそうならない生のあいだの格差——や、それに関連する命の価値の格差をあらわにしたのである。バトラーが、悲嘆の対象になるひととならないひととのあいだの、「死政治的《ネクロポリティカル》」権力による差別(これはひとつには制度的人種差別となって現れる)に注目するのは、それが社会的不平等を構成し、それによって暴力の標的となる人々を生み出すからである。ゆえに「社会的不平等にあらがう闘争は、悲嘆可能性の格差にあらがう闘争でなければならない」(本書、一三〇頁)。だが、これは困難な闘争であるだろう。悲嘆可能性の平等の実現には、バトラー自身も述べているように、通常は「悲嘆不可能な」と思われるような存在——たとえば、遠く隔たった場所で生きそして亡くなる、見知らぬひとたち——を悲嘆の対象にしなければならないからだ。シェーラーの思想はここにおいて重要性を帯びる。それはこの困難の克服への導き手となりうるかもしれないのだ。シェーラーによれば、「悲劇的な出来事のまわりに漂うあの客観的な悲哀性」は「見渡しがたさ」という性質をもつ

（「悲劇的なもの」二四一頁）。なぜならこの出来事の例示する「世界構造」自体が「見渡しがたい」ものだからである。「それゆえ悲哀は出来事を越えて、いわば地平のない無規定な広がりのなかに流れてゆく」（「悲劇的なもの」二四二頁〔強調は原文〕）。悲劇的な悲哀はそれゆえに、悲嘆不可能性を乗り越えるかもしれないのである。バトラーは本書のいたるところで「グローバル」という言葉を使っているが、われわれはそれをシェーラーのいう「見渡しがたさ」のいいかえとして読むことができるだろう。「グローバルな世界感覚」がバトラーの示唆するように「根源的で実質的な社会的平等」の必要条件であるとすれば、その感覚は「悲劇的なもの」を現象させる世界に対する感覚と別物ではない。

翻訳作業は終始、青土社編集部、足立朋也さんの、バトラーに関する確かな知見とそれに裏打ちされた熱意によって支えられた。記して感謝したい。

二〇二三年一一月

中山 徹

人名索引

［著者］ジュディス・バトラー　Judith Butler
カリフォルニア大学バークレー校大学院特別教授。主な著書に『ジェンダー・トラブル——フェミニズムとアイデンティティの攪乱』（竹村和子訳、青土社）、『問題＝《マター》物質となる身体——「セックス」の言説的境界について』（佐藤嘉幸監訳、竹村和子・越智博美ほか訳、以文社）、『触発する言葉——言語・権力・行為体』（竹村和子訳、岩波書店）、『権力の心的な生——主体化＝服従化に関する諸理論』（佐藤嘉幸・清水知子訳、月曜社）、『アンティゴネーの主張——問い直される親族関係』（竹村和子訳、青土社）、『生のあやうさ——哀悼と暴力の政治学』（本橋哲也訳、以文社）、『自分自身を説明すること——倫理的暴力の批判』（佐藤嘉幸・清水知子訳、月曜社）、『戦争の枠組——生はいつ嘆きうるものであるのか』（清水晶子訳、筑摩書房）、『分かれ道——ユダヤ性とシオニズム批判』（大橋洋一・岸まどか訳、青土社）、『アセンブリ——行為遂行性・複数性・政治』（佐藤嘉幸・清水知子訳、青土社）、『非暴力の力』（佐藤嘉幸・清水知子訳、青土社）など。

［訳者］中山 徹（なかやま・とおる）
一橋大学大学院言語社会研究科教授。著書に『ジョイスの反美学』、共編著『個人的なことと政治的なこと』（いずれも彩流社）、訳書にスラヴォイ・ジジェク『脆弱なる絶対』『全体主義』『操り人形と小人』『大義を忘れるな』『暴力——6つの斜めからの省察』『ジジェク、革命を語る』『絶望する勇気』『真昼の盗人のように』『性と頓挫する絶対』（いずれも青土社）、ポール・ド・マン『ロマン主義と現代批評』（彩流社）など。

この世界《せかい》はどんな世界《せかい》か？　──パンデミックの現象学《げんしょうがく》

2023 年 12 月 21 日　第 1 刷印刷
2023 年 12 月 31 日　第 1 刷発行

著　者　ジュディス・バトラー

訳　者　中山 徹

発行者　清水一人
発行所　青土社
〒 101-0051　東京都千代田区神田神保町 1-29　市瀬ビル
電話　03-3291-9831（編集部）　03-3294-7829（営業部）
振替　00190-7-192955

印　刷　双文社印刷
製　本　双文社印刷

装　幀　竹中尚史

Printed in Japan　ISBN978-4-7917-7614-6